二十億光年の孤独

谷川俊太郎

集英社文庫

二十億光年の孤独

目次

本文デザイン／アリヤマデザインストア

二十億光年の孤独

はるかな国から　——序にかへて

三好達治

この若者は
意外に遠くからやつてきた
してその遠いどこやらから
彼は昨日発つてきた
十年よりもさらにながい
一日を彼は旅してきた
千里の靴を借りもせず
彼の踵で踏んできた路のりを何ではからう
またその暦を何ではからう

けれども思へ
霜のきびしい冬の朝
突忽と微笑をたたへて
我らに来るものがある
この若者のノートから滑り落ちる星でもあらうか
ああかの水仙花は……
薫りも寒くほろにがく
風にもゆらぐ孤独をささへて
誇りかにつつましく
折から彼はやつてきた
一九五一年
穴ぼこだらけの東京に
若者らしく哀切に
悲哀に於て快活に
――げに快活に思ひあまつた嘆息に
ときに嚏《くさめ》を放つのだこの若者は

ああこの若者は
冬のさなかに永らく待たれたものとして
突忽とはるかな国からやってきた

生長

三才
私に過去はなかった
五才
私の過去は昨日まで
七才
私の過去はちょんまげまで

十一才
私の過去は恐竜まで
十四才
私の過去は教科書どおり
十六才
私は過去の無限をこわごわみつめ
十八才
私は時の何かを知らない

わたくしは

わたくしの生命は
一冊のノート
価格不定の一冊のノート
(無機物からの連続と
宇宙大の空白と)
わたくしの勉強は
ノートへのかきこみ
美しく熱心なノートへのかきこみ

（充たされぬ整理癖と
くずれがちな筆蹟と）

わたくしのおしゃれは
ノートの装幀
趣味よく明るいノートの装幀
（稚い不器用と
よごれがちな絵具の色と）

えへん　わたくしはあるいている
ノートをかかえ　二十世紀の原始時代を
とことこ　てくてく　あるいている
はにかみながら　あるいている

運命について

プラットフォームに並んでいる
小学生たち
小学生たち
小学生たち
喋りながら　ふざけながら　食べながら

〈かわいいね〉
〈思い出すね〉

プラットフォームに並んでいる
おとなたち
おとなたち
おとなたち
見ながら　喋りながら　懐しがりながら

〈たった五十年と五億平方粁さ〉
〈思い出すね〉
プラットフォームに並んでいる
天使たち
天使たち
天使たち
天使たち
だまって　みつめながら
だまって　輝きながら

世代

——詩をかいていて僕は感じた

漢字はだまっている
カタカナはだまっていない
カタカナは幼く明るく叫びをあげる
アカサタナハマヤラワ

漢字はだまっている
ひらがなはだまっていない

ひらがなはしとやかに囁きかける
いろはにほへとちりぬるを

——そこで僕は詩作をあきらめ
大論文を書こうと思う
「字《ニ》於《ケル》世代之問題」
「ジニオケルセダイノモンダイ」
「じにおけるせだいのもんだい」

大志

レコードを三枚とばし
僕は時を支配する

フィナーレからラールゴへ
僕は時に逆行する

今度は第三面の途中から
僕はB・B・Cも支配する

少年よ　大志を抱け

絵

わたれぬような河のむこうに
のぼれぬような山があった

山のむこうは海のような
海のむこうは街のような

雲はくらく――
空想が罪だろうか

白いがくぶちの中に
そんな絵がある

霧雨

黒人歌手はアンコールに
黒人霊歌を唱った
(私はアナウンサアの冷い口調が気にかかる)

黒人作曲家はステエジで
ライトを浴びて挨拶する
(私は拍手の量を気に病んだ)

ロサンジェルス・キャリフォーニアは美しい夏の星空だとい

うが、今夜、東京には細かい霧のような雨がひっそりと降り続いている。

春

かわいらしい郊外電車の沿線には
楽しげに白い家々があった
散歩を誘う小径があった

降りもしない　乗りもしない
畠の中の駅

かわいらしい郊外電車の沿線には
しかし

養老院の煙突もみえた
雲の多い三月の空の下
電車は速力をおとす
一瞬の運命論を
僕は梅の匂いにおきかえた
かわいらしい郊外電車の沿線では
春以外は立入禁止である

停留所で

ロオタリイをまわってくる
自転車が
牽引車が
ジープが

ロオタリイをまわってゆく
五十年型ステュードベーカアが
(未来に対する潑剌たる提案)

ロオタリイをまわってゆく
三十年型ダッジトラックが
(近代科学の排泄物)
ロオタリイをまわってくる
トラックが
荷車が
オートバイが
そうして
やっと僕の銀バスが

祈り

一つの大きな主張が
無限の時の突端に始まり
今もそれが続いているのに
僕等は無数の提案をもって
その主張にむかおうとする
（ああ　傲慢すぎる　ホモ・サピエンス　傲慢すぎる）

主張の解明のためにこそ
僕等は学んできたのではなかったのか

主張の歓喜のためにこそ
僕等は営んできたのではなかったのか

稚い僕の心に
(こわれかけた複雑な機械の鋲《びょう》の一つ)
今は祈りのみが信じられる
(宇宙の中の無限小から
宇宙の中の無限大への)

人々の祈りの部分がもっとつよくあるように
人々が地球のさびしさをもっとひしひし感じるように
ねむりのまえに僕は祈ろう
(ところはすべて地球上の一点だし
みんなはすべて人間のひとり)
さびしさをたえて僕は祈ろう

一つの大きな主張が
無限の時の突端に始まり
今もなお続いている
そして
一つの小さな祈りは
暗くて巨きな時の中に
かすかながらもしっかり燃え続けようと
今　炎をあげる

かなしみ

あの青い空の波の音が聞えるあたりに
何かとんでもないおとし物を
僕はしてきてしまったらしい

透明な過去の駅で
遺失物係の前に立ったら
僕は余計に悲しくなってしまった

飛行機雲

飛行機雲
みたされぬあこがれに
せい一杯な子供の凱歌
飛行機雲
それは芸術
無限のキャンバスに描く
はかない讃美歌の一節

）

（この瞬間　何という空の深さ）

飛行機雲
そして——
春の空

地球があんまり荒れる日には

地球があんまり荒れる日には
僕は火星に呼びかけたくなる

こっちは曇で
気圧も低く
風は強くなるばかり
おおい！
そっちはどうだあ

月がみている
全く冷静な第三者として
沢山の星の注視が痛い
まだまだ幼い地球の子等よ
地球があんまり荒れる日には
火星の赤さが温いのだ

西暦一九五〇年　三月

まるでドラムすり打ちの
不安のテエブルで
朝刊をパイプにつめ
（それは全く苦い煙）
さて朝食には
嘲笑を食おうか
祈りを食おうか
と考える

僕
卑怯なる無存在
地球
矮小なる厖大

そして
歴史がレエダアもなしに
波状飛行を続けている

警告を信ずるうた

深い天から降ってくる
宇宙線の奔流のような
警告を信じよう

刺されて
深められ
僕は謙虚に
鏡を手にする

「この警告は
ジュピターの雷電の電圧降下したやつだ」
これが僕の宗教である
今しもあの青空を
ジュピターの鷲が翔けてゆくではないか

一本のこうもり傘

ぼろぼろの一本のこうもり傘から
僕はひとつの歴史を嗅ぎ出した
嗅いだからには食べねばならぬ
その辛《から》さに
僕は思わず涙を流した

ぼろぼろの一本のこうもり傘は
それでも骨をもっている
それでも雨を防ぐのである

こわれ果て　燃しつくされてしまうまで

電車での素朴な演説

——なにしろ赤信号はつきっ放しなのです

このきれいで明るい電車に
みんなやっぱりおんなじ目的で
乗りあわせたのだし
こんなきれいで楽しい電車に
乗れるだけでも
幸せなのだから
電車をもっとよくしようと

ささやかなのでも　みんなの努力が
必要なのではないでしょうか
(終点も知らず　始点も知らず
見知らぬ未来の沿線を望み)
いろいろの荷物は肩に重く
電車も時々ゆれもしますが
みんなおんなじ道連れなのだと
只　この線路のみが幸福なのだと
みんなが思えば
こんな大きく重い電車も
みんなの思いで
だんだん明るい風景の方へ
運転出来ると僕はほんとに信じています
ノオ　スモオキング
ノオ　スピッティング
書かれなくても美しいこころは守れる筈です

さあしっかりひとつの吊革をつかみ
みんなのこころで赤信号を
消そうではありませんか

——赤信号はつきっ放し
　勾配もけわしい　というのに
ああ　僕にはこんな演説だけしか出来ないのか

どうにかみんなで
明るい風景の方へ運転したい
こんなきれいで楽しい電車を
汚なく傷つけ
暗いトンネルの中で故障させるなんて
僕には全く堪えられません

——みんなの電車

みんなのおんなじ一つの電車
ああ　予備もない
せめて祈りを……

机上即興

ノオト
まずしい僕の進行形
しかし着々と行進する

辞書
僕は世界を手に量る
つめこまれてる愚かな人類

　インク壺
そまらぬように努力をするが
これがなくては詩も書けぬ

　ペン
羽毛《はね》から鋭い鋼鉄へ
しかし素朴から堕落へではなく

　スタンド
すべてを照らせ
人類の叡智のルックス

　ヒヤシンスの花
思想はない
しかし感情がある

時計

ここにひとつの意志をみる
おごそかな思索への啓示

郷愁

その花片は
海岸のビルの八階あたりの窓から
ピアニシモのアルペジオで僕に散りかかってきた

すべり出す明るい色の新型車
J・P・サルトルの実存主義
そして泡立つ一杯のアイスクリイム・ソオダなど——
それらのすべては沈んでゆき
ただそれこそ澄明な秋の高原だけが

ひそかに僕を抒情した

雲に近い街——
午後の海は
たちまち一枚の絵葉書である

宿題

目をつぶっていると
神様が見えた

うす目をあいたら
神様は見えなくなった

はっきりと目をあいて
神様は見えるか見えないか
それが宿題

周囲

昨日の奥の十億年
明日の奥の十億年

アンドロメダ星雲とオリオン星雲との
地球に関する事務的な会話

机の下のヒヤシンスと
おやつのチョコレエト

せいぜい無限ほどの体積しかもたない
人間の頭脳
しかるが故の
感情の価値

夜

夜
一時間ほど前に死んだ老いた善人が
特派の二輪車《チャリオット》に乗って
亜成層圏のあたりを上昇している

夜
一時間ほど後に生まれる子供が
こうのとりにまたがって
亜成層圏のあたりを降下している

オリムポスでは
ミス・クロソー　ミス・ラキシス　ミス・アトロポス　の三
人が
コオヒイを飲みながら
テレヴィジョンでそれをみている

トウキョウでは
ひとりの詩人が
お祈りをしながら
星空のスクリーンに
それをみた

はる

はなをこえて
しろいくもが
くもをこえて
ふかいそらが

はなをこえ
くもをこえ
そらをこえ
わたしはいつまでものぼってゆける

はるのひととき
わたしはかみさまと
しずかなはなしをした

和音

東京放送は三つとも
静かな　低い男の声だった

ひとつは説教
ひとつは尋ね人
ひとつは天気予報

不思議に三つの声は
ある大きな空間を構成しているように思えた

時間も描かれた世界地図が
ゆれながら
僕の皮膚に滲透し……

雲から和音が
整った　無色の和音が感じられた

灰色の舞台

早朝の街は雲量約九
都市を悪夢の中に忘れてきた
ネオンは夜の雨で漂白され

この街の歴史
この街の地理は
全く百科辞典の三四行で
乾いた足音ひとつ聞えない

確率零なる挨拶の機会

地図をもたぬ不安に
ふと素直になりながら
ボール紙で街路樹をつくる

灰色の舞台　青い童話

早朝の街は湿度約九十
そしてやはり無機物のような……
僕は足を速める

博物館

石斧など
ガラスのむこうにひっそりして

星座は何度も廻り
たくさんのわれわれは消滅し
たくさんのわれわれは発生し

そして
彗星が何度かぶつかりそうになり

たくさんのお皿などが割られ
南極の上をエスキモー犬が歩き
大きな墳墓は東西で造られ
詩集が何回も捧げられ
最近では
原子をぶっこわしたり
大統領のお嬢さんが歌をうたったり
そんないろいろのことが
あれからあった

石斧など
ガラスのむこうに馬鹿にひっそりして

二十億光年の孤独

人類は小さな球の上で
眠り起きそして働き
ときどき火星に仲間を欲しがったりする

火星人は小さな球の上で
何をしてるか　僕は知らない
（或はネリリし　キルルし　ハララしているか）
しかしときどき地球に仲間を欲しがったりする
それはまったくたしかなことだ

万有引力とは
ひき合う孤独の力である

宇宙はひずんでいる
それ故みんなはもとめ合う

宇宙はどんどん膨んでゆく
それ故みんなは不安である

二十億光年の孤独に
僕は思わずくしゃみをした

日日

ある日僕は思った
僕に持ち上げられないものなんてあるだろうか
次の日僕は思った
僕に持ち上げられるものなんてあるだろうか
暮れやすい日日を僕は
傾斜して歩んでいる

これらの親しい日日が
つぎつぎ後へ駈け去るのを
いぶかしいようなおそれの気持でみつめながら

それらがすべて僕の病気かもしれない

僕の不健康は僕の銀座を二次元世界のうちに伏せてしまい、僕の五月は水族館の藻のように手のとどかない焦らだたしさにみずみずしかった。毎日の曇天のせめてもの救い。しかしそれら灰色の湿度たちはみごとに僕の思考を支配した。誰かが帚に乗って天井の木理《もくめ》を走り、僕は雲に乗って宇宙の最深部をのぞき、或は人生僅か五十年、或は病んだゲエテ、或は間氷河期、或は幼稚園、或は映画、或は渦状星雲、そしてとてつもなくおもしろいような、とてつもなくかなしいような夜の熱。

ガーシュイン　ひとつの天才に現れたほんものの短調。

オーウェル「一九八四年」——予期しない離脱。残ったサイレン。今頃はもう何もかも解っているだろうか。それとも余計に苦しんでいるだろうか。

あと百年の責任感。たしかに僕自身の。

僕は童話を書いた。三本の美しい色の透明プラスティック製歯ブラシを童話に書いた。

五月の無智な街で

ここいら余りの色彩の浪費に
初夏人類という分類がある
スナップ・ショットたちが流れてゆく
とりどりの風景をおたがい秘密にしながら
みんな自分の宇宙でお洒落している
そしてみんな自分の時を連れ歩いている
しかしここではすべてが制服のように二次元だ

スナップ・ショットたちが流れてゆく
とりどりの夢をおたがい忘れ合いながら
小さな島国のみた　そして又みるかもしれない　悪い夢　良い夢——
仕方なく僕はひとり神話を空想する
〈一杯のクリイム・ソオダをストロウでかき廻して国が出来た　全く新しい　全くすき透った国が出来た〉

並木路はたしかに少し涼しい
僕もやっと反省などいうことを想い出す
夜になればここいらにも星が降る
夜になればここいらにも祈りがあるだろう

宇宙の中に地球がある
地球の上に街路がある
思考のない街路がある

〈ある晴れた日に……〉とラジオが握手をもとめる
〈空は青い　しかし……〉と僕はにわかに疑いだす

天上からの街頭録音のために僕はたくさんの質問を用意している
しかし地獄からの脅迫のために僕は武器をもたぬ

やがて忘れられた戦禍のイメエジが雲をよび
五月の無智な街路に僕はバック・ギアをいれる

まだ流れている初夏人類たち
僕はバスの中で怠惰に飽きた
しかし僕は論文を丁寧に断ってしまう
やっぱり天然色の神話を書こうと決心して

病院

青空と太陽とは汚れたクレゾールに溶解され
暗い廊下には科学よりむしろ蝕まれた感情が堆積している
原色のスーツはレントゲンの前に無力である
白衣にさえも慰めはない

患者たちが
色付ガラスの試験管の底に
自分のこころをおずおずと閉じこめると

白い医者たちは
たしかな冷い機械になって
たしかな冷い機械をいじる
いろいろの残響の中に僕は人の声を聞かぬ
ここではすべてが唯物論だ
病院は秘密のない近代都市に似ている

秘密とレントゲン

レントゲン氏は僕を唯物的に通訳しただけなのに
僕のすべての秘密を覗いたつもりで唸りたてる

赤ランプが詩的でないような暗闇に
レントゲン氏の熱情は高圧電気の磁力となって
ある特殊組成の空気をつくっている

〈ここの右ルンゲはインタクトで……〉
いかにも声を感じさせる白い人達の会話

つまり僕を通過するひとつの体系
それによって表現される僕という世界

病院では肉体の秘密がない
そのため精神はますます多くを秘密にする

梅雨

雨に
林と空と私が塗りつぶされる
密雲に
燐光がある
庭に
苺の赤が耐えている

時間に
雲が乗らない
物音に
湿度がある
雨に
私と空と林が濡れる

ネロ
——愛された小さな犬に

ネロ
もうじき又夏がやってくる
お前の舌
お前の眼
お前の昼寝姿が
今はっきりと僕の前によみがえる

お前はたった二回程夏を知っただけだった
僕はもう十八回の夏を知っている

そして今僕は自分のや又自分のでないいろいろの夏を思い出
している
メゾンラフィットの夏
淀の夏
ウイリアムスバーグ橋の夏
オランの夏
そして僕は考える
人間はいったいもう何回位の夏を知っているのだろうと

ネロ
もうじき又夏がやってくる
しかしそれはお前のいた夏ではない
又別の夏
全く別の夏なのだ
新しい夏がやってくる

そして新しいいろいろのことを僕は知ってゆく
美しいこと　みにくいこと　僕を元気づけてくれるようなこと　僕をかなしくするようなこと
そして僕は質問する
いったい何だろう
いったい何故だろう
いったいどうするべきなのだろうと

ネロ
お前は死んだ
誰にも知れないようにひとりで遠くへ行って
お前の声
お前の感触
お前の気持までもが
今はっきりと僕の前によみがえる

しかしネロ
もうじき又夏がやってくる
新しい無限に広い夏がやってくる
そして
僕はやっぱり歩いてゆくだろう
新しい夏をむかえ　秋をむかえ　冬をむかえ
春をむかえ　更に新しい夏を期待して
すべての新しいことを知るために
そして
すべての僕の質問に自ら答えるために

夕立前

大きなドームの下あたりから
数億の軍勢がくり出してきて
今ひとつの晴れた時間が終る

おびやかされた怠惰なワルツ

あれは毒気だろうか
いやあれは軍勢だよ

御覧　あの大きな生きている彫像
あれが指揮してるんだ
僕はそいつらを消化しちまおうと身構える
しかし
地球は逃げ支度を始めている
君　この充実感はすごいなあ

演奏

そのピアノから藁が匂う
そのピアノがタイプライタアになる
そのピアノには河が流れ
そのピアノは噴火する

そのピアノは白い大きなホオルにある
そして大きなホオルはそのピアノの中にある

そのピアノに人が生まれる

そのピアノに人が死ぬ

そのピアノは空を飛び
そのピアノから星雲が構成される
そして
そのピアノは最後に静かな遺言をのこした

僕は二千人の仲間と共に拍手をし
その拍手の精気を紙に記した

メス

！

瞬間世界は錐に収斂し
僕は稀薄な形而上学をはねとばしていた

形容が充満する
思考が蒸発する
時間が減速する
抽象が避退する
忘却が忘却される

光のない閃光の連続の中で
音のないドラムのフォルテシモの中で
愛情その他は
唯物論に貫かれて
蛋白分子に還元してしまう

白い寝台と毛細血管とを出発点として
僕は通常の座標をとり戻した
そして直ちに僕を悩ましたもの　それは
生命に関する難解な議論だった

曇り日に歩く

〈こう一面の暗い空では
雲とのお喋りも出来ないなあ〉

結局青空なしの天には
解答と称するものがない
水分つきの暑さに
むしろつるはしを僕は憧憬する

〈うん雲なら小さな積雲がいいんだ

しかし戦争の記憶ってまだ生々しいねえ〉

焼跡には夏草が
夏草には意志があった
人間についてどう思っているか
神様に訊ねてみよう

〈いや絶望はしないよ
僕はただ青空がなつかしいんだ〉

暗い翼

空が降下してくる
厚い幕のむこうに無数の星の気配がする

大きな法則が
泣いているのを僕は聞く

月は誹謗され
雲も話さない

空とそして土の匂い

われわれのすべての匂いだ
しかしわれわれは
果して自分の立場を知っているだろうか

空が醜くなってくる
樹や蛙は誰かを憎んでいるらしい

神々が人間に疲労して
機械に代りをさせているのを僕は聞く

時間はガラスの破片だ
そして
空間はもう失われた

今夜　僕は暗い翼をもつ
すべての本質的な問題について知るために

風

風が吹き
あのきびしく大きな風が吹き
いつか幼い雲たちは逃げてしまった
ただ苦しいだけの追憶をのこして

白い炎暑
静かな弦楽
底のない成層圏……
困難な風土の中で僕は知り始めている

もう小さな神話の時代をなつかしむのはよそう
今は
僕がひとりであるということだけが正しい

風が吹き
あのきびしく大きな風が吹き
僕はひとつの海を目指している

現代のお三時

溜息と怒号の中で
神様は欠席である
新型自動車が彼を轢いた

金属と会議の中で
タイプライタアはタイピストを打っている
法律は黒いトルソオをつくる
紙幣は富んで奴隷を使う
かるが故に

人間は狼にあこがれざるを得ない
僕等は刻々に絶壁を大量製産している
次には空間と時間の試作にかからねばならない

この飲みものはお伽話
このクラッカアは小麦色の牧場
あの雲は古風なフーが
せめてお三時を夢にしよう

山荘だより　1

世界では
暗い雲が大量製産され
僕等は駈け続けねばならなかった

しかし
高原へ来て
僕の電波は減衰した
駈け続ける必要が最早どこにあったろうか
牧場のように若い地球と

僕ははるかな討論をした

高原へ来て
世界を欠席してしまった
しかし
日毎に暖くなる山山を
僕は皮膚呼吸している
（永遠についてという小さな論文を
ゆうすげやあざみの間に撒き散らしながら
今太陽が沈んでゆきます）

山荘だより　2

午頃は長調の風ととんぼ
夕暮は短調の噴煙
記憶は匂いにのってかえって来
神の精緻な記録と予言に
僕は思わず目を閉じた

刻まれた暗い歴史に
白樺の肌は深く
山と花との世界観に

僕はすべての濾過を願っている
みにくいのは結局誰か
小さいのは結局誰か
しかし
遠い山脈のような壮大な感傷の中で
僕はすべてを忘れる
すべてを……忘れる

山荘だより　3

からまつの変らない実直と
しらかばの若い思想と
浅間の美しいわがままと
そしてそれらすべての歌の中を
僕の感傷が跳ねてゆく
（その時突然の驟雨《しゅうう》だ）

なつかしい道は遠く牧場から雲へ続き
積乱雲は世界を内蔵している

（変らないものはなかった
そして
変ってしまったものもなかった）
去ってしまったシルエットにも
駈けてくる幼い友だちにも
遠い山の背景がある

堆積と褶曲の圧力のためだろうか
いつか時間は静かに空間と重なってしまい
僕は今新しい次元を海のように俯瞰している
（また輝き出した太陽に
僕はしたしい挨拶をした）

山荘だより　4

小さな高原電車だけが
浮世をのせてくる
吾亦紅《われもこう》から
共産党問題を
女郎花《おみなえし》から
女権拡張問題を
蛍袋から
住宅問題を

連想しろとてそれは無理だ

朝の白根山や
たそがれの浅間山が
紹介するのは　宇宙なんだから

二伸（しかしアンテナは倒せない）

埴輪

すべての感情と苔むして静かな時間とが
君の脳に沈澱している
眼の奥にある二千年の重量に耐え
君の口は何か壮大な秘密にひきしめられる

泣くことも　笑うことも　怒ることも君にはない
何故なら
君は常に泣き　笑い　そして怒っているのだから

考えることも　感ずることも君にはない
しかし
君は常に吸収するそしてそれらは永久に沈澱するのだ
地球から直接に生まれ　君は人間以前の人間だ
足りなかった神の吐息の故に
君は美しい素朴と健康を誇ることが出来る
君は宇宙を貯えることが出来る

静かな雨の夜に

いつまでもこうして坐って居たい
新しい驚きと悲しみが静かに沈んでゆくのを聞きながら
神を信じないで神のにおいに甘えながら
はるかな国の街路樹の葉を拾ったりしながら
過去と未来の幻燈を浴びながら
青い海の上の柔かなソファを信じながら
そして　なによりも
限りなく自分を愛しながら

いつまでもこうしてひっそり坐って居たい

一九五一年一月

少女
「暖いものはすべて金属の死を沈み
花と樹と流れが地図の上に汚れる
音楽は半旗のようにとぎれ
そむけた神々の顔の涸れ果てた泉で
私は静かさと尊とさの服を焼く
そのあとすべてを捨てることだけが残る」

博士
「恐怖は私を剝ぐ
現実の裸の公理が肌にふれると
高い次元が器官の中に堕ちてくる
抽象や感情が拷問され
焼ける臭いのする叙事詩がのたうちだして
人間が永久に不在になる」

海
「沈んでいる霊達のために
私の憐憫は祈りにかわってゆく
沈んでいる愚劣のために
私の悲嘆は怒りにかわってゆく
深く湛えていることのさびしさが
私の姿を荒くする」

乞食
「思い出が私を暗くする
しかし訴えるべき相手を私は知らぬ
信じられるのはただ私の犬と私の椀と
幸福が死に
愛が死に
やがて私の骸《むくろ》が死ぬ」

猫
「毛皮を透して不安は硝煙のようにしみ
それが本能を曇らせる
永い闇が私の眼の緑を染めてしまい
生まれようとする仔等の歎きの上で
原始の時代への郷愁に
私は夜中なき続ける」

少年
「生きてゆくことが必要だ
信ずることが必要だ
行動することが必要だ
若さが私を大きくする
銃の前に私はふるえないで立ってみせる
そんなことはやめようとふるえないで叫んでみせる」

原子爆弾
「呪いのみが私を支える
無知と傲慢とが
ひとつの法則を畸型にする
そこからすべてがひびわれてくる
やがて無が蕈《きのこ》の形をして
一瞬宇宙を照らすだろう」

月
「夜を美しくすることが
死者の眼を輝やかせることが
私を悲しませる
私の上には誰もいない
私に触るがいい
そうすれば地球の冷たさも解るだろう」

兵士
「私は困惑する
つよい筋肉とつよい心とをもちながらも
錯雑が私を眩惑する
進歩や死について私は何も知らない
しかし町や愛や雲や歌について私は知っている
それらのために生きていたいと私は思う」

機構
「私は知らぬ
私は未だ人間の奴隷だ
私は冷たい　しかし
私はひとりの天才を待っている
むしろ
すべての人間を信じている」

神
「私は創った

曇　――ワーニャ伯父さんを観て

饒舌と涙との前に居眠りする人があった。誰よりも下男に僕は話かけたかった。黙っていることで彼は英雄になった。地球を信頼するために僕は下男の足の下をのぞき、二百年後の人類を信じるために僕は下男の眼をのぞかねばならなかった。そして黙っている人よ、僕のためにも馬車を廻せ。僕もやはり去って行くだろう。幸福があるだろうか、不幸があるだろうか、それは知らずに。幸福が始めにあったのだろうか、不幸が始めにあったのだろうか、それさえ解らずに。しかし眼だけは乾ききって。大きくみひらいて。

曇。この空が又続くことだろう。そして又この空の下の人人の群も。老いた咳、若い叫び、失った涙、知らぬ笑。愚かに、そしてその愚かさのためにのみ。

初夏

瓦
「凍っていた音たちが
雲を映して流れ始める
山山を越えてゆく長い歌を始めようと
木管楽器のような人人が
町に沢山のひそかな合図を撒いてゆく」

牧童
「怠惰な日日こそ僕の日日であった

待つことこそ僕の仕事であった
恢復期のように僕は季節の寝台に甘えていた
人間たちの外に自分の墓を夢みていた」

夕暮
「干されたものは人の形で舞った
鳥は重い葉のように翻《ひるが》えった
行商人の薬は売れ残り
私は一千年前を覚えていた」

靴磨き
「明るい椅子や立派な子供や冷い飲物が
どこかにあると私はぼんやり思っている」

光
「私は沢山の星達を訪ねて廻った

星達は皆数式のように呟いていた
知らない何も知らないと

私は真空に道を築く
しかし私にも行けぬ所がある
名も知らぬ空間で
私は自分の生命を計算する
そして怖れている」

河
「又人が死んだ
幼い時私は鹿や杉や石灰岩を学んだ
今私は人を学ぶ
私の涙は海に注ぐ
そして白い汽船がその上を通ってゆく」

雲雀

「馬も見えぬ広い牧場には
遠く紅白の幔幕《まんまく》がはられ
そこに霞んだ空と草との祝の
ひとりのひそかな指揮者がいる」

墓

「まるで誰かの意志の図案のように
骨たちは皆静かな恨みの眼差だ
白く清潔なそれらの上を
魂の匂う風が吹いてすぎる

かつてあったとの貧しい主張
滅ぶものへの苦しい追憶
しかしそれらもまた失われる
残すことこそ愚かなことだと

私は苔に呟やきかける
私は宇宙に手をのばす
私は一生を予感する
私は限りなく帰ってゆこうとする
一瞬若葉の影がゆれる」

課長
「緑の木蔭が美しい自転車に乗ってくる
青い静かな日常性が
今日も子供等の上に輝く
ソファのように満足が私を支える」

病人
「樹の日　泥の日　手の日　匂の日
影の日　空の日　道の日　空の日……」

少年
「永遠とは魂にとって何という倦怠だろう
そして又何という恐怖であろう
ある遊星の一時期とその小さな幸福
ひとつの脳とその美しい恣意の形
そして
ひとつの心とそのいじらしい大きさ
それらの豊かさに僕には答がない
人人は疑いつつも満足して倒れた
智恵は一瞬一瞬にある
ふたたび初夏は廻ってきて
僕ははじめて初夏に会う」

あとがき

三好達治先生に大変な御好意をいただいた。ありがたいと思う気持をどう表わせばいいかわからない。

一九四九年冬から一九五一年春頃までの作品から選んだ。排列はほぼつくった順である。

谷川俊太郎

一九五二年四月

自註

「二十億光年の孤独」を書いたのは、手元にある当時のノートブックを見ると一九五〇年五月一日である。二十億光年は当時の私の知識の範囲内での、宇宙の直径を意味している。特に天文学に興味をもっていたわけではないが、ひとりっ子で恵まれた環境に育った十九歳の私は、まだ人間関係の中での孤独を知らず、むしろ無限といっていい宇宙の中に投げ出された一有機体としての自分を、さみしさとか、ひとりぼっちとかの感情をあまり伴わずに、孤独と規定していたようだ。〈宇宙はひずんでいる〉とか〈宇宙はどんどん膨らんでゆく〉とかの知識も、初歩的な天文学の本から得たもので、通常の感覚ではとらえようのないそうした抽象的宇宙像が、孤独や不安などの人間の精神状態に具体的に直結しているのは、比喩でもてらいでもない、当時の私の実感だった。つまり私には社会の中の人間というものがほとんど念頭になかった。そのくせ一方で私は当時の日本、ひいては世界の動きに、大きな影響を受けていたと思う。孤独も、不安も、もとめ合うことも、いま思うと宇宙的な感覚であると同時に、社会的な感情でもあった。とすると火星人というのは、何だったのだろう。まさか実在を信じていたわけでもないから、〈ネリリし　キルルし　ハラララして〉という火星語（？）を見てもわかるように、これはユーモアといってもいい。

「二十億光年の孤独」という、見かたによっては大げさな題そのものが、大げさ過ぎるが故にある軽みをもっていると思う。（英訳された時に何度かこんぐらかった。米国では十億はビリオン、英国ではサウザンミリオンになる）題名の軽みは、そのまま最終行の〈くしゃみ〉に呼応しているようだ。これを一種のオチと見る人もいるが、自分ではそうは思いたくない。当時の私はそれほどすれてはいなかったはずだ。

（『中学校　現代の国語』指導書　一九七四年）

私はこのように詩をつくる

どのように詩をつくるか、という問に対する答も、抽象的に説明すれば呆気ない公式みたいなものしか出て来ないし、具体的に説明すればまた一篇一篇の詩でいろいろに違ったものになってしまうだろう。ここでひとつの例として、〈ネロ〉について、作者の出来る限りの具体的な説明をしてみようと思う。

ネロはぼくの隣家で飼っていた犬だった。可愛いい犬で、垣根ごしにぼくの家にもしょっちゅう遊びに来ていて、うちでもまるで家族のように愛されていたが、この詩をつくった前年の冬に病気になり、死期を悟ってからは自ら何処かへ死場所を選びに出てゆき、骸《むくろ》を人にさらさなかった。ネロが死んでからもう半年程たった六月の或る日、ぼくは机にもたれて庭石に照りつける六月の陽差を見ていた。

その陽差はその年の初めての夏の陽差だった。新しい季節が来るという強い感動は、同時にぼくの中に生の大きな流れに対する感覚を呼びさました。季節の流れ、時の流れ、そして生と死。そしてその時、自分でも気づかぬうちに、ぼくはぼくの愛していたものの死にむかって呼びかけていたのだ。ぼくはある大きなリズムの中にいた。そしてそのリズムは限りないものでありながら、ある完結の感じを伴っていた。ぼくの中でその時、生は死によびかけることで、かえってその輝きを増し、あたかも死に阻まれぬもののように全く感じられた。そしてその感じがあまりに完全なものだったので、ぼくには最初の行を書き始める前に自分の書くことがすっかり見えていた。ぼくはただ季節の最初の陽差から受けた感動を、最も動物的な、最も素直な、最もあたり前な形で、即ち生きたいという欲望と生きようとする決意として書きつけたまでなのだ。生きようとする決意を何故死者に呼びかける形で書いたのか、それはぼくにも解らない。結果的にはその形が効果的であったのはたしかなのだが、その時には決して効果を計算した訳ではなかった。おそらくこんなところに、詩作の決して誰も解きあかすことの出来ぬ秘密があるのだろう。これはむしろ芸術の問題というよりも、生自身の秘めている不思議な仕組によるものなのではないだろうか。

ぼくは夏という季節が好きなので、自分の体験の中でも夏は大きな位置を占めている。メゾンラフィットの夏は、マルタン・デュガールの〈チボー家の人々〉に出てくる夏、淀の夏は、ぼくの母の里である京都府淀町の夏で、敗戦をぼくはそこでむかえた。関西地方特有の白い反射の烈しい砂地や、中学校の体操の時間の少年たちの裸身が今も記憶にのこっている。この淀の夏だけが〈自分の夏〉で、あとウィリアムスバーグ橋の夏は、アメリカ映画〈裸の町〉に出てくるニュー・ヨークの夏、オランの夏は、カミュの〈ペスト〉にあるアフリカの町の夏である。映画を見たり、本を読んだり、実際に生活したりして経験したこれらの夏に、ぼくはそれぞれに感動してきたのだが、ここではそれらの感動がひとつの大きな夏という季節、即ち生の流れの中で新しくとらえられ、それが今年のもうすぐやってくる夏とくらべられている。そうすることで、ぼくは生の刻々の新しさ、即ち未来というもののひろがりをたしかめている。ぼくは人間にとって最も根源的だと思われる三つの問をするが、この問は必ずしも答えられることを予期していない。むしろこれは作者の未来へ向かったやや性急な意志の姿勢だと見ていただいていいようだ。今になってみると、この詩の全体のリズムもそのような若い性急さというようなものをもっているようである。しかし結局それがこの詩でぼくの自負出来る唯一の点かもしれない。この詩を本当に支えているものは、技術や思想ではない。この詩は六月のある日の、幼いかもしれないが強い本当の感動によって支えられているとぼくはいうことが出来る。

この詩の場合には、その感動があまりに突然で烈しくはっきりしたものだったので、技術的な配慮は意識的には殆んどなされなかった。推敲も二三のこまかい個所にとどまったと記憶している。その点これはやや特殊な場合に属する。感動がもっと複雑な形をとることもある。もし、ネロという犬がいなかったら、この詩の感動はこのように素直な言葉にならなかったであろう。この詩はむしろ詩の、発生の仕方の例だと考えていただいた方がいいかもしれない。

〈このように詩をつくる〉という問題はむしろこの後で、益々難しくなってゆく。ただここではぼくは、この〈ネロ〉を例にすることで、感動というものに一寸触れておきたかったのだ。それがどんな場合にでも、〈このように詩をつくる〉ということの最も根本にあるものだということをもう一度たしかめておきたかったのだ。

（『ポエム・ライブラリィ2　私はこうして詩を作る』東京創元社　一九五五年）

私にとって必要な逸脱

心から詩を信じるということが、私にはかつてなかったし、またこれからもないだろうと思う。詩において、私の信じることの出来るものがあるとしても、それは詩以外の何かであって、決して詩ではない。それは私にとって不快なことである。私は詩人なのだから詩を信じたいに決まっている。その、詩を信じたいという私の心が、私に詩を書かせ、また同時に、ひとつひとつの詩を書くことで、私は詩を信じよう、信じようとする。だが、ついぞ私は心から詩を信じることの出来る気持になったことがない。

また私には、心から詩に惚れたということがかつてなく、これからもないだろうと思う。私はひどくだらしなく、ずるずるべったりに詩人になってしまった。

恥ずかしい話だが、詩人という仕事を自ら選んだのだという自信は、私にはない。例えば、インダストリアルデザイニングなどという仕事に、私はいまだに色気をもっている。しかし、信じる、信じないの問題と違って、私は詩を好きになりたいとは別に思っていない。自分の好きな仕事をして糊口《ここう》をしのぐことの難しいのは、一般に日本の現状であるし、十年近くも、馴れ親しんだ仕事であってみれば、私にも些少の誇りや、自信はある故である。また、自らの仕事に淫しないという点においても、詩に対して、適当に節度ある気持を保つのはいいことだと私は考えている。

詩において、私が本当に問題にしているのは、必ずしも詩ではないのだという一見奇妙な確信を、私はずっと持ち続けてきた。私にとって本当に問題なのは、生と言葉との関係なのだ。大変あたり前な話で申訳ない。だが、私はここではむしろ、詩という一語の危険さについていいたいのだ。詩人にとって、詩という一語は、彼の決勝点であり、彼の理想であり、時には彼の神でさえある。だが、それは同時に、彼のための麻薬であり、悪魔であり、時に彼の死となりさえするということを忘れてはならないと思う。私が、わざわざ生と言葉との関係などといいたてるのは、私が詩人のために、詩という一語を超えるものを探しているからにすぎない。

詩は、本来言葉を超えていないものだ。それは、言葉ではない所にも、存在するかもしれない。だが、一旦詩が言葉になった以上はそれは言葉であり、言葉以上の何ものでもない。自分勝手な想像だが、プレヴェールが彼の詩集の標題にParoleという一語を択《えら》んだ時、彼は自分のもとめているものが、言葉であって、必ずしも詩ではないということに気づいていたのではあるまいか。彼は、自分と人々とをむすぶ言葉を、彼自身の生のために求めたにすぎぬのではないだろうか。

私も、自分自身を生きのびさせるために、言葉を探す。私には、その言葉は、詩でなくともいい。それが呪文であれ、散文であれ、罵詈雑言《ばりぞうごん》であれ、掛声であれ、時には沈黙であってもいい。もし遂に言葉に絶望せざるを得ないなら、私はデッサンの勉強を始めるだろう。念のためにいうが、私は決してけちな自己表現のために、言葉を探すのではない。人々との唯一のつながりの途として言葉を探すのである。

このように、詩を問題にする時私は詩を逸脱するのを常とする。詩でなくともいいのだという気持を、私はなくすことが出来ない。これは私をディレッタントのように見せるいい方かもしれない。私は職業としての詩人ということを常に考え、また自分の仕事の結果としての作品の社会的な価値を大変気にする方である。しかし私が一人の芸術家としてではなく、一人の人間として生き続けようとする時、私はある意味で、ディレッタントであることをも辞せざるを得ない。私はあえてそれを自らに許す。私は詩のためには、ごく僅かのものしか許さない。だが生のためにはすべてを許す。詩は言葉のためにあるにすぎず、言葉は生のためにあるにすぎぬと私は信じているからである。

いつぞや、ある合評会の席上で、一篇のバラの詩が問題になったことがあった。私より年長の詩人Ｆ氏は、その詩のつまらなさに言及して、「この詩の中のバラよりは、うちの庭のバラの方がまだましだ」というような意味のことをいわれたのであった。私は咄嗟《とっさ》に、「どんな詩の中のバラだって、本当のバラにははるかに及ばない」と反駁《はんばく》し、Ｆ氏はそれに対して、「それでは詩を書く意味がないではないか」という風にいわれたのだったが、この時私は図らずも、自分とＦ氏との間の根本的な詩観の相違に気づいたように思った。詩の中のバラは、私にとっては、あくまで言葉であるにすぎず、それ故、それは本当のバラとは似ても似つかない。それは、匂いも、色も、重さももっていない。それはただ、せいぜい私たちの心に訴えるものにすぎない。だが、本当のバラは、この地上に、私たちの目の前に、鼻の先に、唇の触れる所に咲いているのである。私たちは、それに触れ、その色を見、その花びらの重さをはかり、その匂いをかぎ、更に、それを踏みにじることさえ出来る。私たちは心だけでなく、自らの感官のすべて、肉体のすべて、存在のすべてをあげて、そのバラとむすばれることが出来る。そのバラは本物であり、詩の中のバラは、もし本当のバラと比較するのなら、にせ物であると私は考える。

一輪の本当のバラは沈黙している。だが、その沈黙は、バラについての、リルケのいかなる美しい詩句にもまして、私を慰める。言葉とは本来そのような貧しさに住むものではないのか。バラについてのすべての言葉は、一輪の本当のバラの沈黙のためにあるのだ。言葉は、バラを指し示し、呼び、我々にバラを思い出させる。それはまた時に、我々により深くバラを知らしめ、より深く我々とバラとをむすぶ。だが言葉自身は決してバラそのものになることは出来ない。まして、それを超えることは出来ない。言葉はむしろ常に我々をあの本当のバラの沈黙に帰すためにあるのではないだろうか。そして詩人が、バラを歌う時、彼はバラと人々とをむすぶことによって、自らもその環の中に入って生き続けることが出来るのに相違ない。

そうして、だが、今はどんな言葉が、バラと人々とをむすぶのだろう。私は強い言葉を夢見る。それは例えば、男を侮辱して、その男に拳銃をぬかせ、自らを死の危険にまで追いこむような言葉だ。それはもはや、詩の言葉ではないかもしれぬ。私はそれを先ず自らの生のうちにたずねるより他ないだろう。詩劇も、歌もそのあとに来る問題だ。その言葉によって傷つき、血を流すような言葉、そのような強い言葉を今の私はもとめている。詩人は、詩を書きながら、常に詩を超えたものに渇いているものだ。むしろ、その渇きの故にこそ、詩人は詩を書くのかもしれぬ。

（「詩学」一九五六年一二月）

自伝風の断片

谷川俊太郎

◎最初の日付

誕生、一九三一年一二月一五日。自ら択んだわけではなく、またその正確さをたしかめるすべもないこの日付に、しかし別に異論はない。むしろ気に入っていると云ってもいい。ベートーベンと同じ誕生日であるからである。(ベートーベンの誕生日については、一二月一六日説、一七日説もあるが、これらはいうまでもなく余りにもアカデミックな謬見《びゆうけん》にすぎない)

生れた場所は、東京信濃町の慶応病院、父は母の出産を待つ間、廊下でヨーヨーをしていたそうである。

私は帝王切開で生れた。帝王切開で生れた子は利口だが我慢強さに欠けるところがあると俗説にいう。信ずるに足る。加えて私は幼時、心臓弁膜症だった。短距離競走は選手だったが、マラソンは全く不得手であり、現在も大河小説だの、長篇叙事詩だのに野心をもち得ない。弁膜症はその後、中途半端な形で癒《なお》ってしまったらしいが。

◎祖父

母方の祖父が、初孫を欲しがらなかったら、私はこの世に存在しなかったかもしれない。父母は子どもなど要らないと思っていたようである。私がお腹にできた時も、はじめ生む気はなかったらしい。それなのに、生れるや否や母は赤ん坊に夢中になり、二月に汗疹《あせも》をつくって医者に笑われた。

私の生命の恩人である祖父は、政友会の代議士などをした人である。いつも妙な発明に金を出しては、だまされていた。京都府下淀町に、淀城の外濠に囲まれた大きな邸を構えていた。その家には一箇所、廊下が坂になってる所があった。そこを通る度に、何故か私はかすかな不安にとらえられた。

その家にはまた、土蔵がふたつあった。子どもだった私は、蔵の重い扉を力いっぱい引き開けるのが楽しかった。鼠返《ねずみがえ》しをまたいで中へ入ると、大きな籐《とう》椅子が天井から吊ってあった。

敗戦の年の夏から翌年秋まで、私は母とそこに疎開した。今は家も土地も人手に渡り、アパートが建っている。

◎お祈り

私は寝床に入る。天井の電灯が消され、暗闇の中で私はひとりぼっちになる。手を胸のうえに組み、私は〈お祈り〉を始める。

——火事になりませんように、地震がおこりませんように、泥棒が入りませんように、お父さんお母さんが死にませんように、淀のおじちゃんおばちゃんが死にませんように、常滑《とこなめ》のおじちゃんおばちゃんも死にませんように、誰も病気になりませんように、神さまどうかお願いします——

幼い私が〈神さま〉を信じていたのかどうかは疑わしい。だが毎夜のお祈りの習慣をやめたが最後、何かおそろしい不幸がおこるのではないか、自分がほんとうにひとりぼっちになってしまうのではないかという恐怖に、私はとらえられていた。

お祈りを終えたあとも、私の不安は去らない。母がいるはずの茶の間が、妙にひっそりしている。何か物音を聞こうとして、暗闇の中で私は耳をすます。が、何も聞こえない。遂に私は我まんができなくなり、そっと寝床をぬけ出す。

茶の間の障子は、明るく電灯に照らされている。湯が沸く音も聞こえる。だがまだ私は安心できない。廊下の端に私はうずくまり、待っている。そのうちとうとう障子をほんの少し開けて、中をのぞきこむ。

母はもちろん、そこにいる。

◎北軽井沢

生れた翌年から、夏になると北軽井沢大学村の小さな家に行く。北軽井沢と云っても、軽井沢とは関係が無い。軽井沢は長野県だが、北軽井沢は群馬県である。白根鉱山から硫黄を積み出す軽便鉄道にゆられて、軽井沢から一時間半も北へ入るのである。

その草軽電鉄は、やたらにカーブが多く、私はすぐに酔ってしまう。北軽井沢の駅前には、幌《ほろ》を下ろした珍しいオープンのダッジか何かのタクシーが待っている。警笛もゴムのラッパではなく、甲高《かんだか》い電気のやつだ。大学村の中の道は、轍《わだち》がえぐれ、その真中には草が残っている。そういう道が私は大好きだった。

家は落葉松《からまつ》林の中にある。夕立が降ってくると、トタン葺《ぶ》きの屋根が鳴る。稀《まれ》な幸運で、浅間山の爆発を見ることがある。噴煙には他の何物にも喩《たと》えられぬ、独特の邪悪な材質感がある。唐傘をさして、火山礫《かざんれき》を避け、家に戻る。興奮は容易に去らない。

◎生きもの

妙に記憶にのこっていること　谷川徹三

俊太郎が五つ六つの頃であった。庭で遊んでいた彼が突然ジダンダをふむようにして泣き出した。そばにいた私が何かと思って見ると、犬がカマキリにちょっかいを出しているのである。それを俊太郎は、犬がカマキリを殺そうとしている、とって喰べようとしているとでも思ったのだろう。まだあんまり犬に馴れないで、少しばかりこわかった頃なので、自分で犬を叱《しか》ることができず、カマキリがかわいそうだから何とかしてやってくれとオトナ達に催促しているのがジダンダになったらしいのである。私が気がついて犬を追ったら、すぐ泣きやんだ。

このことは妙に私の記憶にのこっている。その時私は、そういう気質に俊太郎が生まれついたことを、なかば嬉しく、なかば気がかりに思って、それを母親に話したものだった。

今でも俊太郎は家の中に蟻《あり》が入ってきても、殺さないで、そっとそとへすてる。東京でも郊外のこのあたりは相当蠅《はえ》がいるが、その蠅もよくよくでないと叩かないで、ときどき奥さんに怒られているようである。

　おもしろいのは蚊である。中学校の理科で蚊のオスとメスとの形態の相違を教わり、かつオスの蚊は刺さないと教わったことは彼に一時、大きな救いをもたらした。手や足にとまった蚊についても、まずオスとメスの形態の相違を見究めて、オスだったらにがし、メスであることを確認したものだけを叩けばいいことになったからである。ところがその後蚊の繁殖にはオスも関係のある事実を知って、やむなくオスにもメスに対するのと同じ処置をとることにしたそうであるが、中学校で、理科を教わった頃から、その新しい認識に到達するまで、どれだけの歳月が経ったかは聞き忘れた。

　毎夏ゆく山の家にはメクラグモという、糸のように長い足をもった気味のわるいクモが見境なく机の上や寝床にまでやって来て、私はこいつは眼の敵《かたき》にしているのだが、俊太郎はこれも殺せないで、そとへ捨てている。

（昭和三十四年）

◎冨山房の百科辞典

　父の書斎兼応接間には独特な匂いがある。おそらくは四方の壁にぎっしりと並んでいる本の、特に洋書の、紙と皮革とそしてかびの匂い。日曜日には、若い客たちが終日そこで父と談笑しているが、父が留守の平日の午後などは、カーテンがひかれひっそりしている。

　その隅っこの、じゅうたんの上に座りこんで、私は冨山房の百科辞典を見ている。その手ずれのある皮装の背の、呪文めいたインデックスの文字、たとえば、「ほんあみ~ん」。何かを調べるために、見ているのではない。私は自分の外部の未知の世界をのぞきこんでいるのだ。

〈畸型〉という項の写真版が特に私を魅惑する。背中のくっついたシャム双生児、こびと、頭だけの胎児、六本の指――恐怖は無い。むしろ私はかすかなエロティシズムを感じている。私はうしろめたい。

私はかくれるようにして、度々百科辞典をひざの上にひろげる。今日学校で、丸くて青白い顔の同級生が笑いながら口にした謎の言葉、〈子の宮さま〉。私は一生懸命〈こ〉の項の頁をめくる。だが、何も出てない。

性に関する知識のほとんどすべてを、私はその百科辞典から吸収する。〈交接〉という項を私は読む。〈受胎〉という図版を何度もみつめる。理解はできないながら、私はそれらに執着する。

書斎には、世界美術全集も並んでいた。私もそこで〈聖セバスティアンの殉教〉に出会う。「仮面の告白」の主人公とは違って、私は奇妙な胸騒ぎを覚えるにとどまったが。

◎ピアノの部屋

通路のようにしか使えない、細長い中途半端な和室である。じゅうたんをしいて、ピアノと、レコードケースとその上に手巻きの蓄音器とを置いている。長押《なげし》には須田国太郎の初期の油絵(どこかヨーロッパの街の風景)がかかっている。

私はいやいやながらピアノの前に座る。教則本には、悪い手の形と、良い手の形とが写真になっている。まるで医学書のような印象だ。悪い手の形の持主は、きっと体の他の部分も悪い形をしている、この人は病気なんだ、と私は思う。私は一生懸命、良い手の形で弾こうとする。うまくいかない。特に薬指と小指は弱々しく、ちっとも意志通り動いてくれない。

私の子ども時代、すなわち昭和十年代前半の雰囲気は、私にとって、ソナチネアルバムの中のいくつかの小曲によって代表されると云っても過言ではない。小学唱歌は、私を感傷的にしない。

やがて私は生れて初めて自分から一枚のレコードを母にせがむ。その曲は「海ゆかば」。そして同時にまた、防空演習で灯火管制の最中に「会議は踊る」のレコードをかけ、母にとめられる。ワインガルトナー指揮の、ベートーベンの「第五」をくり返しくり返し聞き始めるまでに、まだ数年の間がある。そして、同じベートーベンの後期の弦楽四重奏曲、ピアノ奏鳴曲に移るのは、戦後だ。

◎朝

朝早く、私は庭に立っている。芝の上に露がおりている。隣家の敷地の端に立っている大きな<u>にせ</u>アカシアの木のむこうから、太陽がのぼってくる。

その時、私の心に、何か生れて初めてのものが生れる。好ききらい、快不快、喜び哀しみ、こわいこわくない——今まで経験してきたそういう心の状態とは全く違った新しいもの、もっと大きなもの、その時はその名を知らなかったが、おそらく〈詩〉とも呼ばれ得るもの。その日の感動を、私は小学生らしく簡単に日記に書きとめる。「今日、生れて初めて、朝を美しいと思った」

◎いじめっ子

校庭のはずれにある低い鉄棒のかたわらに私は呼び出される。放課後を大分過ぎているので、校庭にはもう誰もいない。私とその〈いじめっ子〉の二人だけだ。私はいきなり往復びんたをはられる。私はびっくりする。それまで人に打たれた経験がないので、何をされたのかもよく分らない。ひとりっ子に育った私は打ち返してけんかをしようということも思いつかない。驚きと当惑のあとに、恐怖と嫌悪がやってくる。やせこけた子猿のようなその〈いじめっ子〉は、今度は私に足払いをくらわせる。そうしながら何か威勢のいい言葉を発しているが、それはとにかく私が生意気だということを云ってるらしい。私はされるがままになっている。怒りはわいてこない、だが私は恥ずかしい、何故かひどく恥ずかしく、そして怖しい。しかし私は泣かない。

◎水雷艦長

私たちは〈水雷艦長〉という遊びをしている。私はちびだが足は速いし、小廻りもきく。帽子のひさしをうしろに廻して私ははり切っている。私は大柄な敵をひとり追いつめてタッチする。近所の農家の子だ、勉強はあまりできない。敵は私にタッチされたのに、捕虜になろうとしない、ルール違反だ。私が何度云っても、にやにや笑ってとりあおうとしない。私はかっとなる。

自分でも思いがけない言葉が口からとび出す。「どん百姓!」

にやにや笑って逃げ廻っていた敵が急に立ち止まり、真面目な顔になる。今度は私の逃げる番だ。もうゲームではない、もうルールもない。私は逃げる、逃げぬく。校舎に入り、階段を駈け上り、駈け下りる。敵は追いつけない、だが敵はどこまでも追ってくる。すでに半分泣きながら気違いのように追ってくる。私は遂に〈親分〉に救いを求める。いつもはけむたい存在である〈親分〉に。彼には子どもながら侠気《きょうき》がある。彼は〈父ちゃんのとこにひっぱってく〉といきまく相手をなだめ、私に詫びを入れさせる。私はもう本気になって後悔している。

◎けんか

伊藤という、いささかかんしゃくもちのその子は怒っている。顔は紅潮し、額に静脈が浮き出ている。メンソレータムを塗ったた唇のまわりが、ぬれたように光っている。私は自分の机に座っていて、その子は前に立ちはだかり、両手で机の角をつかんでいる。何が理由での口論だったのだろうか。私はよどみなく自分の立場を主張する。私は自分が正しいことを半分くらい信じている、あとの半分は自分の口のうまさに頼ろうとしている。相手はだんだん言葉につまってくる。そして遂に校庭へ出ろと云いだす。腕でこいというわけだ。だが私には腕力に訴えねばならぬ理由は全く無い。私は拒み通す。気短かなその子はしかしフェアプレーを重んずる。私にあえて手出しはしない。やがて始業のベルが鳴り、私たちをとりまいていた見物も散ってゆく。私は勝つ。

放課後、私たち二人は別々に先生に呼ばれる。先生は私の正しさを認めながら、けんかを受けて立たなかった私を残念に思うと云う。初めて私に怒りがわいてくる。私は先生のその考え方をひそかに軽べつする。だが一方で、私はその若い先生の本当に残念に思っている気持を素直に受けとっている。私は彼を好きにこそなれ、きらいにはならない。

◎河邨文一郎氏

庭伝いに父のところに客がある。時折現れる白皙《はくせき》の美青年だ。青年は何かを置いて帰る。清書され、きちんと綴《と》じられた原稿、というより、これは一部限定の本といっていい。表紙がつけられ、そこに勢いのいい毛筆の文字が躍っている。文字の黒と対照的に、赤で何か鳳凰《ほうおう》のような形の装飾も画かれていたのではなかったか。

「何?」と私は訊ねる。「詩よ」と母が答える。読んでみる。何も分らない。私はつくりかけの模型飛行機のほうにもどる。

◎模型飛行機

A—一型　　四ノ一　谷川俊太郎

僕は此のA—一型を作るまでにもう模型飛行機を十機近くも作ったが、どれもよく飛ばなくて、ちょっと飛ばすとすぐこはれてしまふやうな代物だった。或日とう〳〵お母さんに「俊ちゃんのは形ばかりでちょっとも飛ばなくて、少しお母さんがいぢるとすぐこはれてしまふかざり物みたいな飛行機ぢゃないの。今度はもっとよく飛んで、丈夫なのを作りなさい。」とお小言を言はれてしまった。それで僕は、(今度はやさしくてよく飛ぶのを作らう。)と考へて此のA—一型ライトプレーンを買っていたゞいたのであった。これは、去年の暮に服部さんの小母さんにお年玉として買っていたゞいたので服部さんの小母さんにも早くお見せしなくてはと思っていよ〳〵製作に取りかかった。

今度のは丈夫で正しくといふことが目的なので、形は少し位まづくてもよいと思って絲でしばるのも出來るだけきつくした。コ字形金具と車きゃくをつけた。後部ゴム掛も取れないやうにきつくしばった。車きゃくとプロペラがついたのでゴムを掛けて走らせて見た。とてもよく走るので其の晩はずっと走らせて遊んだ。前の方がすんだら今度は後だ。垂直尾翼はうまく出來たが水平尾翼が、機體のストラインに直角でなくてはならないのがへんに曲ってしまったので、これはしまった、と思ったがもう後の祭で仕方がない。尾翼に紙を張って重心を計った。次が問題の主翼である。設計圖に合はせて一生けん命作った。リブを作るのは大分むづかしい。少し變な形になってしまった。それでもやうやく出來た。紙を張って、重心と主翼前縁から三分の一の所を一致させ取付角上反角をつけてしばりつけた。それと同時に出來たといふ喜びをおさへ切れなくなって、思はずそれを持ってはねまはってしまった。しかしまだそれがよく飛ぶか飛ばぬかがきまってゐない。ベランダで滑空試験をしやうとしたが何だかこはい。思ひきって手をはなすとすーっとうまく滑空した。これはなか〱よいと思って、それから何度も何度もやった。其の晩はそれをまくらもとへかざって寝た。明日はいよ〱飛ばすのだ。

　翌日は、大場さんの晋ちゃんと高等科へ飛ばしに行かうと思って呼びに行くと晋ちゃんが「小林さんのあきらちゃんも呼んで行かう。」と言ふので行くとあきらちゃんはちゃうどお客様だった。待ってゐてもつまらないので、北郷君のうちへ行って「飛行機飛ばしに行かないか。」と聞くと寒いからいやだと言ふ。仕方がないので歸りかけると向かふからあきらちゃんが模型を二機もかゝへて來たので、すぐに高等科へ飛ばしに行った。胸がわく〱する。一重全こぶ位まいて少し上向きにして飛ばした。ぐん〱上しゃうして上空でぐるりとまはって滑走した。次は地上發航でやった。あまり上へは上らないが飛ぶ。僕のにしてはとてもよく飛んだ。それからはもうむ中で飛ばした。一ぺんは校庭の外まで出て池へ落ちてしまったりした。がやっぱりあきらちゃんにはかなはない。あきらちゃんは後へ飛ぶのなどを作ってゐる。

　これからは僕等小國民がりっぱな發明や發見をしなければならない。僕もこれからは自分で設計して作らうと思ってゐる。僕の模型よ、お前もほんとの飛行機と一緒にニューヨーク爆撃に行け！

（昭和十七年三月二日）

◎東條首相

朝刊に、東條首相が朝の散歩の途中で、小学生たちの頭を撫でている写真が出ている。私が感心して眺めていると、かたわらの父がおだやかに、だが苦々しげに「こういうことをやるようになっては、おしまいだ。」というような意味のことを云う。

◎過去

思い出すのがいやだというような過去は私には無い。あの時ああすればよかったという悔いも無い。悔いを残さぬように心がけて生きてきたわけではなく、また、どんな過ちも悔いまいという強い意志があるわけでもない。私には、悔いという形で過去を考えることができないのだろうと思う。

私にとって、過去は私の背後に延びている道路の如きものではない。過去は、もっと空間的にもつれあってひろがっている。だから日付や年代に沿って過去を整理することは苦手だ。すんでしまったことは何も無くて、私はいまだに自分が幼年時代にとらわれていると感じることがある。

思い出すのが楽しいという過去も、私にはほとんど無いようだ。子どもの頃、ピーターパンに憧れて、いつまでも子どもでいたいと思ったことはあるが、今、子どもに戻りたいとは思ってもみない。ピーターパンに憧れたのは、思春期に近づいた自分の肉体が、一時期大変みにくいものに感じられたからであり、自分の思うままに生きることのできなかった未成年期は、むしろ苦痛のほうが大きかったように憶えている。

ひとりっ子に生れ、母親に甘えて育った

私は、子どもの頃、母を失うということが他の何ものよりも怖しかった。母の帰りがおそい時など、壁のほうを向いてひとりでしくしく泣きながら、私はくり返しくり返し母の死を想像し、それに耐えられるように自分で自分を訓練した。母とのむすびつきが余りに強かったために、青年期になって、精神的に母から独立した時、私は自分がひとりで生きられると錯覚するようになっていた。

今でも私の心の中のどこかに、ひとりで生きられる、ひとりで生きるしかないという感覚が残っているように思う。それが或る面で、私の強さとして表れているのもたしかだが、今の私にはそれがむしろ、エゴイズムとむすびついていることのほうが、より強く意識される。

◎空襲

焼夷弾《しょういだん》が夜空を、光の雨のように降ってくる。美しいと感ずる余裕はなかった筈だが、記憶の中では美しい。丁度真上で落されたそれらが、風でゆっくりと流されてゆく。助かったと思う気持はかくせない。

東に火の手があがり、やがて家のまわりの路地が、避難してきた人々でにぎやかになる。防空頭巾をかぶったまま、私は眠ってしまう。

翌朝早く、友人たちと自転車に乗って、高円寺あたりの焼跡を見に行く。焼死体はみな黒く、不思議につやつやしていて、カッオブシを連想させる。股のところに、小さな穴があいている。(こういう経験は、これ以上何を書いても、それは修飾にすぎないという風に、私にはとらえられている。

その時の自分の感情も、よく憶えていないと云うのが最も正確だろう。重苦しいものはなかったし、むしろ我々ははしゃいでいたと思うが。）

不発の焼夷弾を拾って帰る。中のマグネシウムの粉は、火をつけると花火のように燃える。信管は分解しようとしたが手に負えない。石にたたきつけると、小さく破裂音がした。六角形の筒形の錘《おもり》のようなものは、米つき用の竹棒につけられ、一升瓶の中の玄米を搗《つ》く。

学校に出ると、友人が硝子の破片のようなものをくれる、敵機の風防の断片だそうだ。こすると甘い良い匂いがする。合成樹脂というものに触れた最初の機会だろう。

◎一九五五年に書いた短い文章

詩を書き始めの頃

詩人という名を自らすすんで僭称せねばならぬと覚悟を決めたのは、いつ頃からのことであったろうか。中学校の同級生だった北川幸比古を通して詩に親しみ始めていた頃は、自分が詩人になろうなどとは夢にも思ってはいなかった。僕はどちらかと云えば文学青年ではなかったと思う。中学の中頃から大分ぐれてきてはいたが、それはおそらく思春期というものであって肉体が何やかやとごねているのを精神のせいにするのは余り好まなかったように記憶している。学校がいやでいやで仕方のなかったことを除いては、僕は戦後の妙な時期を大変幸せにすごした。つまり僕は異常な時代を平常に生活していた。僕は異常なものを平常なものと信じるくせがついていた。

北川幸比古は僕よりはるかに感じ易い文学青年であった。僕はピンポンにつきあうように、彼の詩につきあって詩を書いた。当時僕の最も好んだ詩人は、岩佐東一郎であった。今から思えば浅薄な理解であろうが、僕は岩佐氏の詩を大層趣味的なものとして理解していた。そのしゃれっ気と情念の節度とを僕は好み、公然とそれにならっていた。僕が詩をノートに書きため始めたのは、一体どういう心境だったのか、今は判然としない。だが、だんだんに詩を書くことの外《ほか》に、することのなくなってきていたのは事実だった。残念だがそれが最も本当に近い。

僕は詩が好きで好きでたまらぬといったようなタイプではない。自分の書いたものを、雑誌に投稿などするようになったのも、受験勉強の退屈まぎれにであった。螢雪時代からノート、学窓とやらから万年筆、そして一番の大当りは、学苑とかいう雑誌のコンクールの次席になって、たしか三千円ばかりもらったことがあった。どうしても大学へゆくのがいやで、とうとう我を通したかわりに、何か自分の仕事のようなものを両親に誇示して安心させねばならなかった時に、二冊の詩のノートが役に立った。思えばこれが一生の不作の始まりだった。僕はその日からタフ・ガイになることをあきらめざるを得なくなったのである。三好達治先生がわざわざ僕の詩をほめに来て下さった時も、僕はまだあまりに子供だった。僕は詩人になることのおそろしさなどちっとも解っていなかった。

だが今になってみると、僕の詩への入り方は大変いい入り方だったと思う。僕は何の理想も先入観もなく素直に即物的に詩を知っていった。少くとも当時は、僕は感傷的でも、観念的でもなかった。僕は自転車に乗るように、ピンポンをするように、詩を書いていた。気楽な話である。僕も年をとったものだ。誇張でなく近頃よくそう思う。

詩はまだしも、若書きの文章というやつは全く始末に悪い。たとえばこの文章の中の〈一生の不作の始まり〉などというユーモアにもなってないいやみな云いかた、またたとえば「世界へ！」の中の〈詩から一切の曖昧《あいまい》な私性を完全に追放してしまう〉などの空疎な妄語、拾い出せばきりのないこういう自分の浅はかさは、けれどそのまま現在の私の浅はかさにつながる。これらの文章を、全く否定し去るほど私は無責任ではないし、自分にかまけすぎることの不健康も知っているつもりだが――まあいい、もうやめよう。少くとも私は動きつづけている。一日のメランコリアを、酒で紛らわすこともできず、まして詩で紛らわすことなどとうていできずに。

書き落していることがひとつある。初めて雑誌に詩を投稿した時、私は最初で最後のペンネームを使った。どんな詩を書いたかは忘れてしまったが、そのペンネームだけは覚えている。棚川新太郎というのである。

（一九六九年九月）

解説

山田　馨

一九五〇年に入っても、一八歳になった谷川俊太郎少年のピンチはつづいていた。

もともと集団生活にはなじめない上に、思春期の潔癖な正義感がはたらいていただろう。以前からつづく学校嫌いはつのるばかりで、教師への反抗、不登校、学力低下と、悪循環が少年を追いつめていた。最後は、普通科から夜間部に転学するという非常手段をつかって、やっと三月に都立豊多摩高校を卒業したのだった。

卒業したといっても、事態がよくなったわけではない。集団の中で学ぶのに懲りて大学進学を拒否したから、これは「食っていける大人」になるための猶予期間（モラトリアム）を放棄したことでもあった。自立したいと強く願う、孤独で人づきあいの悪い少年は、悶々《もんもん》として、父（谷川徹三・哲学者、一八九五〜一九八九年）のスネをかじるしかなかった。

当時、谷川さんには鬱屈《うっくつ》を忘れる三つの趣味があった。模型飛行機づくりとラジオの組み立てと詩をつくることである。詩作は、四八年頃からクラスメートの北川幸比古（児童文学者、一九三〇〜二〇〇四年）の影響ではじめたもので、大学ノート二冊に作品を書きためていた（この時期のことは、本書の一六〇ページ「詩を書き始めの頃」に書かれている）。この三つ目の趣味が彼を人生のピンチから救うことになる。

ある日、業を煮やした徹三氏が、「おまえどうする気なんだ、大学にも行かないで」と問いつめた。そこで、谷川さんはやむをえず、「ぼくはこういうものを書いています」と二冊のノートを差し出した。この時は、谷川さんは、詩は趣味として、たのしいから書いていただけで、詩人になるなんてまったく考えていなかったそうだ。ましてや、それで食えるなどとは夢にも思っていなかった。ノートを渡したのは、父親の厳しい目をそらす、時間稼ぎみたいに思っていた。ところが事態は思いもかけない方向に走っていく。

若い頃を詩も書き、文芸批評もした徹三氏は、鉛筆で◎や○のランク付けをしたり、削除の棒を引っぱったり、ちょっとした感想を書いたりしながら（本書収録の自筆ノートを参照）息子の詩を読むうちに、がぜん興奮を覚える。丸文字で丁寧に清書された詩篇には、それまで見たことのない叙情性が秘められていたのだ。読み終えた徹三氏は、即刻友人の詩人三好達治（一九〇〇〜六四年）にノートを送りつける。意見を聞くと言うよりは、読んだ翌日には興奮した友が自宅に駆けつけてくるだろうという確信を持って。父は息子の詩にそれほどの衝撃を受けていた。

ノートを受けとった三好は、恐らくは一瞬、友人の親馬鹿につき合う不幸を予想していただろう。だが、目を通した三好の気持のたかぶりは、単行本化に際して寄せられた詩「はるかな国から――序にかへて」にはっきりと見てとれる。行間には、近現代詩の伝統的な作風（三好自身も属していた「四季派」など）からはずれ、当時詩壇を席巻《せっけん》していた詩（『荒地』や『列島』などの批評性・思想性が強い詩）の傾向からも離れた、新しい時代の詩が、突然に、しかも意外と身近なところから飛び出してきたことへの驚きが感じとれる。

三好は、さっそくノートから六篇の詩を選んで、文芸雑誌『文學界』（文藝春秋新社）に推薦し、この年の一二月号に掲載された（「ネロ　他五篇」というタイトルのもとに、掲載順に、「ネロ」「地球があんまり荒れる日には」「演奏」「病院」「博物館」「二十億光年の孤独」)。お先真っ暗だった少年は、思いもかけずに、年の終わりに、ニュー・フェースの詩人として詩壇に姿を見せることになったのである。別に詩人を目指していたわけでもない少年には、恐らくは、とまどいもあったのではないだろうか。でも、もう、そこに開けた細い道を歩いていくしかなかっただろう。

さらに、その詩を見た、雲井書店の社主が単行本の出版を申し出る。雲井書店は、当時堀辰雄の『風立ちぬ』など、文芸書の美本を出す出版社として定評があった。恐らく翌年には、収録する詩五〇篇(つまりこの詩集に収録されている詩篇)を、徹三氏の○印を参考にしながら、俊太郎少年と雲井書店社主の二人が選んでいる。こちらの出版は、途中で雲井書店が倒産するというアクシデントがあったが、その紙型を徹三氏は買い取るかたちで、五二年六月に創元社からこの詩集『二十億光年の孤独』が出版されたのである。

明晰なことばで組み立てた工芸品のような詩には、少年の日常をうたいながら、感傷に溺れないみずみずしい叙情があった。それらは、戦後の混乱のなかで、新しく生きようとする人々の心に強く響いたにちがいない。そしてこの本を出発点として、谷川さんは新進詩人という名前を背負って、詩をつくり、インタビューを受け、エッセイを書き、あらゆる頼まれ仕事をこなしながら、必死に生活者として自立していく。

（以上は、練馬の割烹居酒屋で冷酒をなめなめ、折々に谷川さんから聞いた話をつなぎ合わせたもので、いくぶん文章にアルコールの香りがするかもしれない。お許しいただきたい。二冊のノートについても付記しておく。それぞれに「傲岸ナル略歴Ⅰ」と「電車での素朴な演説Ⅱ」という表題をつけられていて、最終的には、一七歳の終わりから一九歳半ばくらいまでに書かれた、合わせて一三〇少々の詩が書きとめられている。これらの詩は、『二十億光年の孤独』に五〇篇、『日本の詩集17　谷川俊太郎詩集』（角川書店／一九七二年）に二一篇、『十八歳』（東京書籍／一九九三年）に六二篇と、一三三篇が活字になっているので、読者はほぼすべての作品に目に通すことができる。）

本書に収められた詩篇のすべては、もちろん、上にのべた谷川さんのつらかった時期に書かれている。それなのに、多くの詩篇を支配しているのは、暗鬱《あんうつ》な空気ではない。静かな明るさのなかに、生きることをよろこぶ少年がいる。少年は、生活者の視線とはちがう、もう一つの目でとらえた世界を生きている。

当時谷川さんは、模型飛行機を作ったり、ラジオを組み立てるのと同じやり方で詩をつくっていたという。「自分の前にある世界の一部を見て、ことばという部品をつなげていくと、世界のひな形みたいなものができる」ことが面白かったそうだ。もちろん、ことばで世界のひな形ができる、という事実のおもしろさもあっただろうが、それだけでは、ほとんど毎日詩をつくったという熱中の説明にはならないだろう。谷川少年が本当に面白く思ったのは、ひな形の中にあらわれてくる自分の顔や風景だったと思う。何気なく自分自身で作ったものなのに、詩には、見たことのない自分や、実際よりずっと奥行きの深い風景が見えてくる。少年にとって、ひな形は、真実の姿があらわれてくる不思議な世界に思えただろう。

詩集の表題作となった「二十億光年の孤独」では、「僕」はひとりぼっちで宇宙空間の彼方を見はるかし、火星に仲間をもとめている。「はる」では、「はなをこえ／くもをこえ／そらをこえ」、ひとり天上にのぼっていく。「かなしみ」では、宇宙の「あの青い空の波の音が聞えるあたりに」ある「透明な過去の駅で」ひとりたたずんでいる。宇宙をひな形にすると、そこに見えてくるのは、広大な宇宙空間に放り出されたひとりぼっちの自分だ。

宇宙の詩だけではない、すべての詩に、他者はいない。少年はひとり、文字についての初々《ういうい》しい思想をめぐらし、こうもり傘の感想をのべ、春の郊外電車に乗り、ロータリーを観察し、博物館を訪ね、五月の街角で文明批評をし、梅雨空に季節を感じ、愛した犬を悼《いた》んで未来への決意をのべ、高原の自然に叙情を感じる。それら少年らしい日常のどのシーンにも、見えてくるのは、ひとりぼっちの少年だ。

少年詩人の目をつつんでいたのは、絶対的な孤独感だったと思う。思春期、親からはなれて子どもから大人になる時に、誰でもが感じる果てのない孤独感。人は、ひとりで生まれ、ひとりで死ぬ、と気づいた時に、宇宙は一気に近づいてくるのだと思う。宇宙空間にひとりぼっちの自分がはっきりと見える。その目を向けると、日常世界は透明感を増して、生きることの「かなしみ」につつまれて見える。人生のほんのひととき、少年たちは自分の「存在」という命題をかかえて、小さな哲学者になる。

谷川少年が無邪気に組み立てた明るく伸びやかな日常世界のどのひな形にも、この「かなしみ」という感情がうっすらと影を落としている。そしてそのひんやりと底のない風景を、恐れず、惑わず、感傷せず、背骨をきちんと伸ばした少年が、ひとり颯爽《さっそう》と歩いていく。

「私は背の低い禿頭の老人です／もう半世紀以上のあいだ／名詞や動詞や助詞や形容詞や疑問符など／言葉どもに揉まれながら暮らしてきましたから／どちらかと言うと無言を好みます」。谷川さんの最新詩集『私』(思潮社／二〇〇七年)の詩「自己紹介」の第一連である。

孤独な少年が、孤独なまま老人になっている。四連からなるこの短い詩に見られる、投げ出すように無造作に置いたことばの配置には、言葉どもに揉まれながら磨いてきた詩の技術の、技術を超えた凄《すご》みがある。かつての新進詩人は、半世紀にわたって、人々の人生のひな形を作りつづけて、自在にことばをあやつる大詩人になった。幼児でも、少年でも、若者でも、老人でも、死者でも、存在しないものまでも、思うままに詩の中からあらわれてくる。

しかし、その老練な大詩人にして、いま、『二十億光年の孤独』の少年像は絶対に書けないだろう。どこからかあふれ出してくることばと遊びながら、絶対の孤独感という眼鏡をかけて、敗戦直後の空気をずんずんずんと闊歩《かっぽ》した、あの少年にしか書けなかった世界だと思う。

本書について

『二十億光年の孤独』は一九五二年六月創元社発行の初版を底本とした。英訳は一九九六年五月北星堂書店発行のW・I・エリオット、川村和夫訳『二十億光年の孤独／Two Billion Light-Years of Solitude』を底本とした。

文庫化にあたり、「自註」「私はこのように詩をつくる」「私にとって必要な逸脱」「自伝風の断片」「自筆ノート」を収録した。

校訂について

旧仮名遣いを新仮名遣いに、ひらがなの拗促音は並字を小文字にし、誤植や行アキの有無、また以後の刊本との異同は、自筆ノートを参照して著者了解のもとに訂正した。

底本のルビ（振り仮名）は生かし、難読と思われる漢字には著者の校閲を得て新たにルビを加えた。常用漢字・人名漢字の旧字体は新字体にあらため、その他は原則として正字体とした。送り仮名は、原則として底本通りとした。

ただし、三好達治による「はるかな国から――序にかへて」、「自伝風の断片」中の「◎模型飛行機」は以上の方法をとらず、底本通りとした。

英訳には、あらたな改訂を施し、日本語底本の訂正などの変更箇所も反映した。また新しい「Preface」を付した。

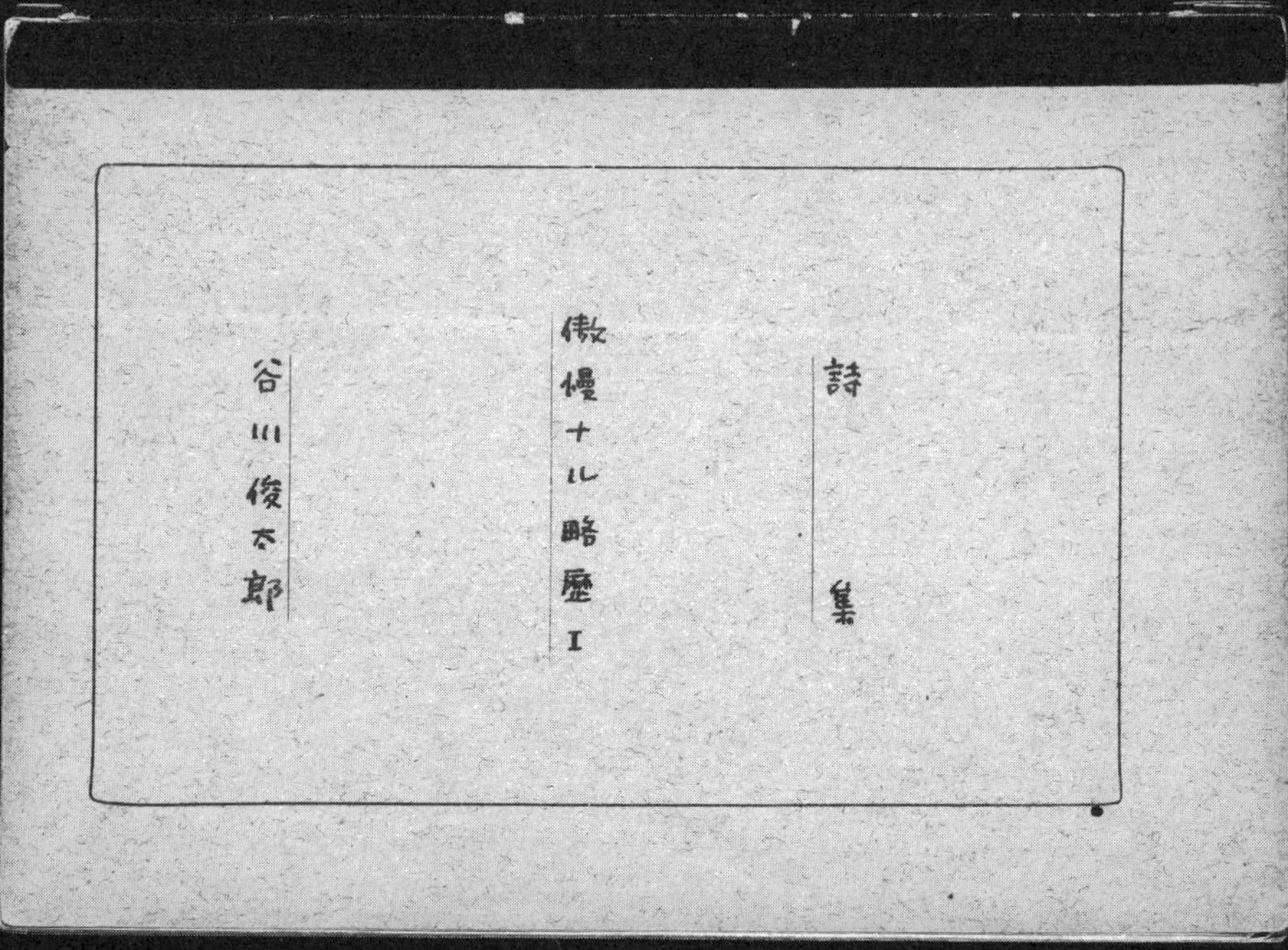
詩集
傲慢ナル略歴 I
谷川俊太郎

まなび

本を
たくさん
頭の中に

あるばむを
一冊
胸の中に

そして
出来るなら
天国を
心に深く

わたしはもちたい

くるかもしれぬ
独りの時のために

ぬ?

50.1.25.

歴史

五十年前
珈琲ひきがひとつ
しあとるの港を出帆した

二十年前
それはぶらじる・もかを友とし

六年前
それは配給の大豆をひいた

三年前
それはふたたび珈琲の香り

そして今日
それは詩人のはあととなった

50. 2. 5

裸電球《スポットライト》四つ
黒板の影はまるで舞台のはなやかさ
影四つ。あかるく くらく
それだけが夜学の豪華
―私の幻想もここから始まる

50. 2. 8

懐古幻想

いろいろな和菓子たちは
みやびの名ゆたかに
いにしへのうれひをふくんでいる

わたくしはひとりそれをみて
むかしの女人のすがたを、おもう

とりどりの和菓子のいろに
十二單《ひとえ》を心にうかべ
むかしの女人のこころをはかる
みやびな祖先のこころをはかる

50.2.7

十八才

ある夜
僕はまったくひとりだった

想ひ出をわすれ
本棚と雲に飽き、
おさないいかりとかなしみと
僕はにがく味はった

雨のふる夜
僕はほんとにひとりだった

50.2.9

あらしのまえの

雲ひくい
あらしのまえの太平洋を
うららかな キャリフォーニアから
電波は つづいている
（青空やビルやレモンのかをり）

雲ひくい
あらしのまえの日本東京へ
うららかなかなたから
電波は時報をおくってくる
（ますます つよい太陽のかをり）

雲ひくい
あらしのまえのアンテナをとおり
うららかなキャリフォーニアから
電波はコールサインする
「波長は二十五米
今日はこれでさよなら」

雲ひくい
あらしのまえの太平洋に
稲妻すこし つよくなる

50.2.9.

○

生長

三才
私に過去はなかった

五才
私の過去は昨日まで

七才
私の過去はちょんまげまで

十一才
私の過去は恐龍まで

十四才
私の過去は教科書どおり

十六才
私は過去の無限をこわごわみつめ。

十八才
私は時の何かを知らない

50. 2. 10

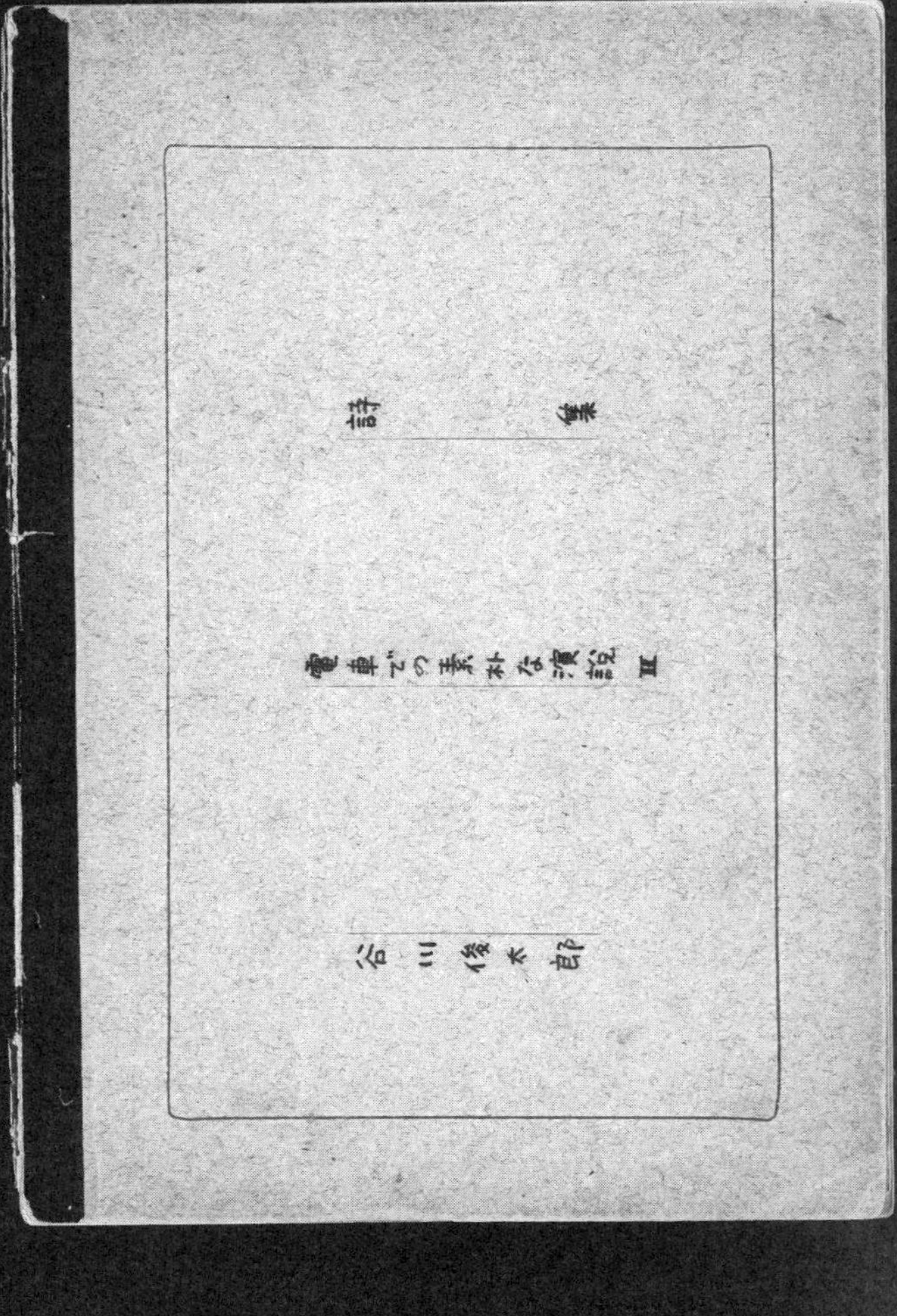
詩集
電車での素朴な演説 II
谷川俊太郎

僕は顕微鏡を使ってはならない
（自分で一つのプレパラートになって）
僕は望遠鏡を使ってはならない
（自分の脚で距離を消し）
僕は只生まれたての眼だけでみよう

春

かわいらしい郊外電車の沿線には
楽しげに白い家々があった
散歩を誘う小径があった

降《お》りもしない 乗《の》りもしない
畠の中の駅

かわいらしい郊外電車の沿線には
しかし、
養老院の煙突もみえた

雲の多い三月の空の下
電車は速力をおとす
一瞬の運命論を
僕は梅の匂ひにおきかへた

かわいらしい郊外電車の沿線では
春以外は立入禁止である

50.3.6.

停留所で

ロオタリイをまわってくる
自転車が
牽引車が
ジープが

ロオタリイをまわってゆく
五十年型スチュードベーカアが
（未来に対する溌剌たる提案）

ロオタリイをまわってゆく
三十年型ダッヂトラックが
（近代科学の排泄物）

ロオタリイをまわってくる
トラックが
荷車が
オートバイが
そうして
やっと僕の銀バスが

50. 3. 6

◎二十億光年の孤独

人類は小さな球の上で
眠り起きそして働き
ときどき火星に仲間を欲しがったりする

火星人は小さな球の上で
何をしてるか　僕は知らない
（或はネリリし キルルし ハララしているか）
しかし ときどき 地球に仲間を欲しがったりする
それは まったく たしかなことだ

万有引力とは
ひき合う孤独の力である

宇宙はひずんでいる
それ故みんなはもとめ合う

宇宙はどんどん膨んでゆく
それ故みんなは不安である

二十億光年の孤独に
僕は思はず くしやみをした

50. 5. 1

新緑

日

火星近ずく

日

つつじ 紅白

日

友人の父 死す

日

隣家に鯉のぼりあがる

日

プラトン 饗宴篇

日

外苑を歩く 新緑

日

小颱風

日

ちまき、

日

飛行機事故

日

石鏃石斧を得る

日

ジャコウアゲハ雌雄

日

レコード買う　ドヴォルザーク

日

博物館

日

海を見る

50.5.1

◎

日日

ある日 僕は思った
僕に持ち上げられないものなんてあるだろうか

次の日 僕は思った
僕に持ち上げられるものなんてあるだろうか

暮れやすい日日を僕は
傾斜して歩んでいる

これらの親しい日日が
つぎつぎ後へ駈け去るのを
いぶかしいような おそれの気持でみつめながら

50.5.2

Preface

It is not easy to think of a contemporary poet whose first collection of poems appeared over half-a-century ago and yet is still in print. But that is the case with Shuntaro Tanikawa's *Two Billion Light-Years of Solitude*. That a first book of poems has consistently remained in print for such a long time indicates that it was a watershed publication in the history of Japanese poetry as that poetry moved from its recent past into the new age. If one thinks of T. S. Eliot's early poems as marking the beginning of a new era in English poetry, one may consider that Tanikawa's poems stand as a sort of dividing line between the older and the newer; in addition, these poems set a new voice to singing in the first unsettled decade

following the war — a voice that simply will not keep still. Tanikawa, clearly, is not past his peak and the reason for that is his boundless imagination. He has continuously reinvented himself.

'Make it new' — yes — but keep it grounded in what Faulkner called 'the old truths of the heart'; and keep it as accessible as the old truths of the heart ever need be.

2008

William I. Elliott
Kazuo Kawamura

CONTENTS

Two Billion Light-Years of Solitude

From a Far Country

(By Way of a Preface)

Tatsuji Miyoshi

This young man
came from somewhere farther away than we thought.
And that far place
he left only yesterday.
He journeyed through a day
that was longer than ten years.
How can we measure the distance
he walked without magical shoes?
And how can we measure that calendar?
But just imagine.
On a frosty winter morning,
suddenly, with a smile on his face,
there was someone coming towards us.
Was that a star
slipping off this young man's notebook?

Oh, that daffodil....
its fragrance cold and slightly bitter.
Cherishing solitude that swayed in the wind,
proud yet modest,
he came along at the right moment,
in 1951,
to a pock-marked Tokyo,
sorrowful like all young men,
yet cheerful in the grip of grief.
Sometimes, after too much thought,
this young man sneezes as cheerfully as can be.
Ah, suddenly, from a far country,
this young man came along,
someone long-awaited in the midst of winter.

Growing

Three —
I had no past

Five —
my past stopped yesterday

Seven —
my past stopped with a top-knot

Eleven —
my past stopped with dinosaurs

Fourteen —
my past was nothing but schoolbooks

Sixteen —
I timidly looked at the past's infinitude, and

Eighteen —
I don't know what time is

As for Me

My life is
a single notebook,
an unpriced single notebook
(a continuation of the inorganic
and a blank as big as the universe).

Writing in a notebook
is my study,
writing beautifully, eagerly, in a notebook
(never orderly enough to suit myself....
shaky handwriting).

My dandyism is seen
only in the design of my notebook,
gay and elegant
(youthful awkwardness....
paints that stain and fade).

Ahem! I'm carrying my notebook
in the primitive age of the 20th century
click-clack-click-clack, I'm walking.
I'm walking, bashfully.

On Fate

They're lined up on the station platform —
primary school kids
primary school kids
primary school kids
primary school kids —
chattering, fooling around and eating.

"Cute, aren't they!"
"You remember?"
They're lined up on the station platform —
adults
adults
adults
adults —
looking at the kids, talking, feeling nostalgic.

"Just fifty years and 500,000,000 square kilometers...."
"Remember?"
They're lined up on the station platform —
angels
angels
angels
angels —
looking on silently
shining silently.

Generations

— While writing a poem I felt that:

*Kanji** remains silent.
*Katakana*** doesn't.
Katakana shouts out childishly and cheerfully,
"アカサタナハマヤラワ."(a-ka-sa-ta-na-ha-ma-ya-ra-wa)

Kanji remains silent.
*Hiragana*** doesn't.
Hiragana whispers gracefully,
"いろはにほへとちりぬるを."(i-ro-ha-ni-ho-he-to-chi-ri-nu-ru-o)

— At that point I quit writing
and decided to write a big dissertation on the subject:
"字ニ於ケル世代之問題"***
"ジニオケルセダイノモンダイ"***
"じにおけるせだいのもんだい"***

* *kanji*: Japanese writing using Chinese characters, normally in connection with *hiragana,* to account for Japanese grammatical forms.

** *katakana* and *hiragana*: There are two Japanese systems of syllabic writing, based on Chinese characters. One is an angular form called *katakana* and is used mainly for foreign words. The other is a cursive form called *hiragana* and is the more widely used of the two systems.

*** These three lines are three different representations, respectively, in *kanji*, *katakana* and *hiragana*, of the same proposition with the same sound, meaning "generation gaps concerning writing systems."

Ambitions

I govern the time
by skipping three records.

I reverse time
by going back to largo from finale.

I even govern the BBC
by starting with the middle of Side 3.

"Boys, be ambitious!"

A Painting

Across the uncrossable river
is an unscalable mountain.

Beyond the mountain, perhaps, lies the sea,
and beyond that, perhaps, a town.

The clouds are dark —
Is imagining sinful?

There is such a painting
in a white frame.

Misty Rain*

As an encore the black
sings a spiritual.
(The radio announcer's tone of voice seems cold to
me.)

On a stage a black composer
stands in the spotlight and bows.
(The applause is slight, and worries me.)

The announcer says that the L.A. summer sky is star-studded, but in Tokyo tonight a fine misty rain is falling....

* Here and in some other poems that follow, allusions are made to the year 1950 when the American forces still occupied Japan. The Japanese mood, accordingly, was subdued.

Spring

Cheerful white houses
lined the cute, lovely suburban train
and there was an inviting trail to hike.

A station in the middle of a field —
no one got off or on.

But along this cute, lovely line
I could also see the chimney of an old folks' home.

Under an overcast March sky
the train slowed down.
In a moment I let the scent of plum blossoms
replace my fatalism.

Along the line of this cute suburban train
everything is off-limits except spring.

At the Bus Stop

Around the circle here come
a bicycle,
a wrecker,
a jeep.

Around the circle here comes
a 1950 Studebaker
(an exciting proposal for the future).

Around the circle here comes
a 30's Dodge truck
(the offal of modern science).

Around the circle here come
a truck,
a cart,
a motorcycle,
and, last of all,
my shabby silver bus.

A Prayer*

At the edge of infinitude
a sweeping assertion was born
and is still being carried on.
We try to confront it
with countless counter-claims
(too arrogant *homo sapiens* that we are).

Haven't we studied hard
how to interpret that assertion?
Haven't we lived, in fact,
for the joy of the assertion?

As far as my naive heart is concerned
(one mere rivet of a complex, half-broken machine),
prayer alone is trustworthy
(uttered by the infinitely small
to the infinitely great in the universe).

Before sleeping, I will pray
that people should be more pious
and feel more keenly earth's loneliness.

(Every place is one spot on earth
every person a member of the human race).
Bearing my loneliness, I will pray.

At the edge of infinitude
a sweeping assertion was born
and is still being carried on.
And
in order to burn faintly yet steadily,
in the midst of time which is dark and vast,
a single small prayer
now flares up.

* This poem was written during the Korean War, when the poet was again in anguish, having only recently lived through World War II.

Sadness

Somewhere in that blue sky
where you hear the sound of the waves,
I think I lost something incredible.

Standing at Lost and Found
in a transparent station of the past,
I became all the sadder.

A Vapor Trail

A vapor trail:
the jubilant cry of children,
looking, longing....

A vapor trail:
a work of art,
a phrase of a fleeting hymn
painted on an infinite canvas.

(How deep the sky in this moment.)

A vapor trail
and
the spring sky.

When the Earth Grows Wild

When the earth grows wild
I feel like calling out to Mars:

"It's cloudy down here,
the atmospheric pressure low,
the wind picking up.
Hey!
How is it up there?"

The moon looks on,
a cool third party.

Young, young children of the earth,
the innumerable stars gaze down hurtfully.

We feel Mars' red warmth,
when the earth grows wild.

March 1950 A.D.

I sit at a table
as restless as a drum roll
and filling my pipe with the morning paper
(the smoke is acrid).
I muse,
"Well, shall I eat ridicule
for breakfast,
or shall I eat prayer?"

I,
a cowardly non-entity.

The earth,
a puny giant.

And
history,
without benefit of radar,
continues its wavy flight.

A Song in Trust of Warnings

Let us believe in those warnings
that come descending from heaven's depths
as in a torrent of cosmic rays.

Stabbed,
deepened,
I hold a mirror
in my hand, humbly.

"This warning is a thunderbolt come down from
Jupiter,
its voltage dropped."
This is my religion.

Look! At this very moment
Jupiter's eagle is flying away in the blue sky.

An Umbrella

I sniffed out a whole history
in a tattered umbrella.
Having sniffed it out I had to eat it.
Tears came into my eyes
at its spicy taste.

Though tattered,
its bones are intact.
And so it will keep the rain off,
until at last it breaks and is burned.

A Simple Address to Fellow Train Passengers

— Anyway, the red signal keeps burning

We're all here together
on this spick-and-span train,
having a common purpose.
And we are content only because
we're on this spick-and-span, this lovely train.
Is it not therefore necessary
that we should try to improve the train
even to a modest degree?
(Point of origin as unknown as destination,
we look longingly for a future cityscape.)
Some of you look worn down by your baggage
and the train jolts and lurches sometimes.
But if you'd just consider yourselves
fellow passengers,
and this line the only happy one,
then I truly believe
that this huge, heavy train
can be driven towards ever brighter scenery
by dint of everyone's hopes.
"NO SMOKING".
"NO SPITTING".

Does virtuous behavior really require such signs?
Well, then, let's grip one strap firmly together
and with all our hearts
switch off the red signal.

— The red signal is still red.
Though the grade is steep,
is this the only kind of speech that I can
make?

I hope that, pulling together,
we may somehow move on to brighter scenery.
I find it unacceptable
that such a spick-and-span and lovely train
should be soiled and damaged,
and be broken down in such a dark tunnel.

— Our train,
this one train of ours!
And, alas, there's no other.

We can at least pray....

Impromptu Poems on the Desk

A Notebook

My feeble present progressive form
nonetheless proceeds onward.

A Dictionary

I weigh the world in my hand....
the whole stupid human race compacted....

An Inkwell

I try not to be stained
but without this I could not even write poems.

A Pen

From quill to steel point
though not from naivete to degradation.

A Desk Light

Let the lux of human wisdom
light up everything.

A Hyacinth

It has no idea
but it has feelings.

A Clock
Here I see a will
pointing toward austere reflection.

Nostalgia

From about the eighth floor of a building by the bay
the petal floated down on me
in *arpeggio pianissimo.*

A shiny new model of a car beginning to move,
Sartreian existentialism,
and an ice cream soda foaming, etc. —
These all sank down to the bottom
and only the clear autumn highland
secretly inspired me to lyricism.

A street close to the clouds —
the afternoon sea suddenly becomes
a single picture postcard.

Homework

With eyes closed,
I saw God.

When I peeked,
God vanished.

My homework will be to find out
whether I can see God
with my eyes wide open.

The Surroundings

A billion years behind yesterday.
A billion years beyond tomorrow.

A business-like conversation about the earth
between the Andromeda and Orion nebulae.

A hyacinth beneath the desk
and tea-time chocolates.

> At its best the volume of the human brain
> is at least as large as infinity.
> Hence the value
> of its feelings.

A Night

A night —
A good old man who died an hour ago
is ascending towards the sub-stratosphere
on a chariot especially dispatched.

A night —
A child to be born in about an hour
is descending from the sub-stratosphere
astride a stork.

On Olympus
Miss Clotho, Miss Lachesis and Miss Atropos
are drinking coffee
and watching the man and child on TV.

A poet in Tokyo,
while praying,
saw them
on the screen
of the starry sky.

Spring

A dab of white cloud
over the cherry-blossoms
and beyond the cloud
a deep sky.

Over the blossoms,
beyond the cloud,
beyond the sky.
I can climb forever.

One moment of a spring day
I had a quiet talk
with God.

A Chord

Quiet low male voices were carried
on all three Tokyo radio stations.

One was giving a sermon,
another was "Missing Persons"
and the third was the weather forecast.

Strangely those three voices
seemed to form a certain vast space.

A space-time map of the world
wavered
and permeated my skin....

I felt coming from the clouds
an orderly and colorless chord.

A Gray Stage

Clouds over the early a.m. town, about 90%.
I have left the city behind in a nightmare.

Night rain bleached the neon white.

Both the history of this town
and its geography
have only three or four lines in the encyclopedia.
Not a single crisp footstep is heard.

Greetings are at zero probability.

Not having a map, I am uneasy.
Suddenly feeling humble,
I make cardboard trees to line the streets.

A gray stage; a sky-blue nursery tale.

In the early a.m. town, 90% humidity.
And also some sort of inorganic matter....
I walk faster.

A Museum

A stone ax, etc.,
lie still behind the glass.

Constellations revolve and revolve in the sky.
Many of us vanish,
many emerge,

and
comets repeatedly have close calls;
dishes and things are shattered;
and in the Antarctic huskies walk about;
huge graves are built, east and west;
books of poems are dedicated over and again;
and in recent times
atoms were split,
a president's daughter sang,
and all sorts of other things
have since then continuously happened.

A stone ax, etc.,
lie deathly still behind the glass.

Two Billion Light-Years of Solitude

Human beings on this small orb
sleep, waken and work, and sometimes
wish for friends on Mars.

I've no notion
what Martians do on their small orb
(*neriri*ing or *kiruru*ing or *harara*ing).
But sometimes they like to have friends on Earth.
No doubt about that.

Universal gravitation is the power of solitudes
pulling each other.

Because the universe is distorted,
we all seek for one another.

Because the universe goes on expanding,
we are all uneasy.

With the chill of two billion light-years of solitude,
I suddenly sneezed.

Days

One day I wondered if there was something
I would be unable to lift.

The next day I wondered if there was anything
I would be able to lift.

As days lead toward darkness
I walk on slumped over,

watching, with doubt and fear,
those familiar days gallop away backward,
passing me by, one after another.

All of Those Might Be Diseases of Mine

My ill health knocks down the Ginza I know into a two-dimensional world, and my May is irritatingly fresh and green, like the intangible algae in an aquarium. The daily overcast sky is my only consolation. But those gray humid days masterfully control how I think. Someone rides a broomstick across the wood grain of the ceiling, while I ride a cloud and peek into the universe's ultimate depths; life lasts only fifty years; or Goethe is ill; or the inter-glacial age or kindergarten or the cinema or swirling nebulae and outrageously fascinating and yet outrageously sad night fever.

Gershwin: a genuine minor key embodied in a single genius.

Orwell's *Nineteen Eighty-four*: unexpected deviation. Sirens that remained. Does he know everything by now or is he suffering even more?

The sense of responsibility a hundred years hence. Certainly my own.

I wrote a nursery story. In it I described three beautifully colored transparent toothbrushes.

An Ignorant Street in May

In this excessively colorful extravagance
there is the category "Early Summer Mankind."

One snapshot leads to another.
Hiding from one another, each is
the dandified center of its own universe,
and each is accompanied by its own time.
Yet here, like a uniform, all are two-dimensional.

One snapshot leads to another,
each forgetting its myriad dreams —
bad dreams and good dreams
had, or to be, by this small island country.
I must conjure up a mythos:
"I created a country in stirring my cream soda with a
straw — a completely new, completely
crystalline country."

It'll be a bit cooler along the tree-lined street.
At last I come to reflect on reflection.
Even here shooting stars shower down by night,
and prayers, too, arise by night.

The earth is within the universe
and there's a street on the earth —
a thoughtless street.
"One fine day," sings the radio, and offers to shake hands.
"The sky is blue, but...." I say, suddenly filled with doubt.

I prepare many questions for a Man in the Street Interview from heaven.
But I lack weapons to defend against the threat of hell.

Soon the images of war-time devastation summon the clouds
and I slam the car into reverse on this ignorant street in May.

Early Summer Mankind still flows on.
Riding the bus, I am tired of my laziness,
but I politely decline to write a dissertation,
and decide to write instead a technicolor mythos.

Hospital

Blue sky and sun dissolve in a dirty creosol solution
and in the dark corridor not science but eroded
emotions pile up.

Clothing of even primary colors is defenseless against
X-rays.
White gowns also are inconsolable.

When patients
uncertainly confine their feelings
in the bottom of colored test tubes,
white doctors
become efficient cold machines
and operate efficient cold machines.

I hear no human voices in the host of echoes.
Here, everything is materialism.

A hospital resembles a modern city that keeps no
secrets.

Secrets and X-Rays

Although Mr X-Ray has interpreted me only
materialistically,
he continues growling, thinking he has found out all
my secrets.

In the dark corner, where the red-light burns
non-lyrically,
Mr X-Ray's fervor becomes the magnetic power of
high voltage
and creates a specially-compounded air.

"This right *Lunge* is intact...."
I am conscious of voices in the words of men in white.

Here is a system which passes through me,
and here is a world of "me" expressed by that system.

There are no bodily secrets in hospitals;
therefore the soul the more keeps secrets.

The Rainy Season

Grove, sky and I are all
painted over by rain.

A phosphorescence glows
in the dense clouds.

Strawberries' redness endures
in the garden.

Clouds don't pace
with time.

There is a dampness
in the sound of things.

Grove, sky and I are all
wet with rain.

Nero

(For a Much Loved Little Dog)

Nero!
Summer's almost here again.
Your tongue,
your eyes,
your napping —
It all comes back so clearly.

You knew only two summers.
I've known eighteen already.
And right now I remember summers of mine and other people's in various places —
in Maisons-Laffitte,
in Yodo,
on Williamsburg Bridge,
and in Oran.
And I wonder
how many summers
people have known so far.

Nero!
Summer's almost here again.
A summer without you,
a different summer,
quite different.

A new summer's on its way,
bringing lots of different things,
the beautiful, the ugly,
encouraging things, despairing things.
And I ask myself,
what are all these things,
what's brought them on,
what can I do with them?

Nero!
You died.
You went alone where no one could follow.
Your voice,
your touch,
your feelings, even —
It all comes back so clearly.

But Nero!
Summer's almost here again —
a new summer, immeasurably vast!
And
I'll keep on going as usual,
moving through a new summer, autumn, winter,
and spring, expecting still another new summer,
learning to know all things new,
and
answering all my own questions.

Before an Evening Downpour

Hundreds of millions of troops march out
from beneath a vast dome
and now the hour of the clear sky ends.

A threatened lazy waltz.

Is it a miasma?
No, it is an army.

Say, look at that huge living statue.
It's giving orders.

I stand on guard thinking about digesting all of that,
but
the earth is already getting ready to flee.

Hey, this sense of fulfilment, how wonderful!

A Musical Performance

The piano gives off the odor of straw.
The piano becomes a typewriter.
A river runs through the piano.
The piano erupts.

The piano is in a large white hall
and the hall is in the piano.

People are born out of the piano
and die in the piano.

The piano flies in the sky
and a nebula is composed out of the piano.
And
in dying the piano left a quiet will.

I applauded along with 2,000 others
and recorded on paper the vigor of that
applause.

A Scalpel

!
In that moment, the world converged into a drill,
and I had already rejected pale metaphysics.

Adjectives are everywhere.
Thinking evaporates.
Time slows down.
The abstract takes refuge.
Oblivion is thrown into oblivion.

In a series of lightless flashes
and the soundless *fortissimo* of drums,
affections and all else
are penetrated by materialism
and are reduced to protein molecules.

Starting from a white bed and capillaries,
I recovered my normal coordinates.
And then, soon, I fretted
over a difficult argument about life.

Walking on a Cloudy Day

〈It's impossible even to chat with clouds
when the whole sky is so overcast.〉

After all, the heaven without a blue sky
has nothing like an answer.
In this muggy heat
I sort of long for a pick-ax.

〈Well, when it comes to clouds I prefer small cumuli,
though the memories of the war are still vivid.〉

Summer grass grew in the bombed-out ruins
with a will of its own.
I shall ask God
his opinion of human beings.

〈No, I will not lose hope.
I just miss the blue sky.〉

Dark Wings

The sky is falling down.
Beyond the dense curtain there are hints of countless stars.

I hear a large law
weeping.

The moon is slandered
and the clouds say nothing.

The smell of sky and soil —
they all belong to us.
Yet do we ever know
where we are standing?

The sky grows ugly.
Trees and frogs seem to hold a grudge.

I can hear God getting bored with people
and letting machines replace them.

Time is broken glass
and
space has already disappeared.

Tonight I grow dark wings
in order to probe into every essential problem.

The Wind

The wind blows.
A harsh, fierce wind blows,
and the young clouds have flown away,
leaving only painful memories.

White burning heat,
quiet string music,
the bottomless stratosphere....
In the midst of this trying climate I am starting to
know.

I will stop being nostalgic about a small mythic age.
The only right thing at this moment
is that I am alone.

The wind blows.
A harsh, fierce wind blows,
and I aspire towards the one open sea.

A Contemporary Afternoon Snack

In the midst of sighing and shouting
God is not present.
A new model car ran over him.

In a world of metal and conferences
a typewriter is typing a typist.
Law sculpts a black torso
and bank notes grow rich and buy slaves.
Therefore
people can't help longing for wolves.

We mass-produce a million cliffs a minute.
Next we must experiment making space and time.

This drink is a fairy tale.
This cracker is a meadow the color of wheat.
That cloud is an old-fashioned fugue.
Anyhow, I will make the afternoon snack a
fantasy.

A Letter from a Mountain Cabin 1

Dark clouds were mass-produced
in the world
and we had to keep running.

Yet
now that I've reached this highland
my radio waves have weakened.
What need is there for me to run any more?
I've had a spacious discussion with the earth
that is as young as a meadow.

Since reaching this highland
I've played hookey from the world.
But
through my skin I am breathing the mountains
that grow warmer day by day.

(The sun in its sinking
scatters across the lilies and thistles
a small thesis on eternity.)

A Letter from a Mountain Cabin 2

Around noon a wind in a major key and a dragonfly.
In the evening, minor key volcanic vapors.
Memories came back on the wings of odors,
and I unconsciously closed my eyes
at God's elaborate chronicles and prophecies.

The white birch bark is deep
with the carved darkness of history.
I would wish all things filtered
through the eyes of mountains and flowers.

Who, after all, is ugly?
Who is small, after all?
But
in the grip of my sentimentality, which is as
magnificent as the distant mountains,
I forget everything....
forget everything.

A Letter from a Mountain Cabin 3

My sentimental thoughts leap through
the unchanging honesty of larches,
the fresh thoughts of white birches,
the exquisite wantonness of Mt. Asama,
and through all their singing.
(And just now, a sudden shower.)

A nostalgic road runs from distant meadows deep into
 the clouds
and the cumuli contain the world.
(Everything has changed,
and yet
nothing has changed.)

Both a vanished silhouette
and the little girl who comes running
have for background the distant mountains.

With accumulation and tectonic shifting,
time has quietly overlapped space
and now I see a new dimension under me, like the sea.
(I said a warm hello to the sun
which has just begun shining again.)

A Letter from a Mountain Cabin 4

Only the small mountain train
bears the floating world along.

There's no sense in asking me to associate
the red poppy
with the Communist Party,
the daphne
with women's rights,
or the bell-flower
with the housing problem.

For it is the universe
that Mt. Shirane at dawn
and Mt. Asama at dusk introduce to us.

P.S. (Even so, I can't take down my antennae.)

Burial Mound Figurine

Every feeling and quiet time covered over with moss
have sunk down into your brain.
Having endured 2,000 years of weight in the depth of
your eyes,
your mouth is tightened by some grand secret.

There are no tears, laughter or anger in you,
because
you always cry, laugh and get angry.

There are no thoughts or feelings in you,
but
you always absorb things and they remain forever.

You are a pre-human human, born straight out of
earth.
Since God's breath was insufficient, you now boast
pure naivete and good health.
You are a repository of the universe.

On a Quiet Rainy Night

I'd like to go on just sitting here.
Hearing fresh surprises and sorrows quietly sinking down,
indulging in the odor of God without believing in God,
gathering fallen leaves from city streets in a faraway land,
steeping myself in the magic lantern of past and future,
trusting in a soft sofa on a blue sea,
and, above all else,
loving myself boundlessly.

I'd like to go on just sitting here by myself.

January 1951

A girl:
"All things warm die as metals do,
and flowers, trees and streams are soiled on the map.
Music lowers to half-mast,
and in the dried up spring where gods have turned
their faces away
I burn my clothing of quietness and reverence.
Nothing then remains but to dispose of everything."

A scholar:
"Horror strips me naked.
When the naked axiom of the world's reality touches
my skin,
high-flown dimensions fall into my organs.
Abstraction and feelings are tormented,
and a lyric that smells of burning begins to writhe,
till human beings eternally absent themselves."

The sea:
"My pity turns into a prayer
for the sake of sunken souls.
My grief turns into anger
for the sake of sunken follies.

I become stormy
from the deep sorrow I endure."

A beggar:
"Memories depress me,
but I have no one to appeal to.
I trust nothing except my dog and rice bowl.
Happiness dies.
Love dies.
And finally my corpse dies."

A cat:
"Anxiety suffuses my fur like gun smoke
and clouds my instinct.
A long darkness dyes my eyes green.
While the kittens lament their coming birth,
I go on crying all night,
longing for prehistoric times."

A boy:
"It's necessary to keep living
and to believe.
It's necessary to act.

Being youthful makes me larger.
I will face guns without flinching.
I will shout 'Enough!' without trembling."

An atomic bomb:
"Human cursing alone explains me.
A certain law is deformed
by ignorance and arrogance.
That leads to the cracking of everything.
Soon enough, nothingness in the flash of a mushroom
will illumine the universe."

The moon:
"It saddens me
to make the night beautiful
and to make the eyes of the dead shine.
No one is on me.
Touch me
and you will understand earth's coldness."

A soldier:
"I am bewildered,
although I am muscular and strong-hearted.

Confusion stuns me.
Of progress and death I know nothing.
But I do know about cities, love, clouds and songs.
For these I want to go on living."

A system:
"I don't know.
I'm still enslaved by people.
I am something cold, yet
awaiting a genius.
No, say that
I believe all human beings."

God:
"I have created....

A Cloudy Day
(After seeing *Uncle Vanya*)

Some people were asleep in spite of the noisy ado and tears on the stage. I would have liked to talk to the servant before anyone else. By virtue of his silence he became a hero. I peeked under his feet in order to trust the earth, and in order to trust people who would be alive 200 years hence, looked directly at his eyes. You silent servants up there on the stage; send me a horse and carriage. I'll leave, too, not knowing whether happiness or unhappiness awaits, and no matter which one came first. With eyes dry and wide open, I'll leave. Cloudy. This sky will go on being. So will all the people under it. Age-old coughing, youthful shouting, lost tears, unknown laughter. Foolishly, and for foolishness' sake alone.

Early Summer

Roof tiles:
"Frozen sounds begin flowing,
reflecting the clouds.
People like woodwinds move along the street
scattering lots of secret signals for the beginning of a
long song
that will cross over the mountains."

A shepherd boy:
"My days have been nothing but idle.
My work has been merely to wait.
Like a convalescent I indulged in the bed of the
seasons.
I dreamed of my grave outside the world of people."

Evening:
"Laundry on the line danced as though human.
Birds swirled like heavy leaves.
Pedlars' medicines remained unsold
and I remembered about a thousand years ago."

A shoeshine boy:
"I have the vague idea that somewhere
there are a cheerful chair, good children and cold drinks."

Light:
"I've been to many stars.
They all murmured as in a mathematical formula,
'I know nothing, nothing.'

I build a road in the void,
but there are places even I can't go.
I calculate my own life
in an unknown space,
and am afraid."

A river:
"Another man died.
When I was a child, I studied about deer, cedar and limestone.
Now I study people.
My tears pour into the sea
where a white liner is sailing."

A skylark:
"A red and white tent stands far away
in the meadow where there are no horses,
and there a secret conductor leads
a celebration of the misty sky and grass."

A monument:
"All the bones wear the look of quiet spite,
as if they were designs representing someone's will.
A soul-scented wind
blows over these white, clean bones.

The bones are a weak claim that soul ever existed,
a painful remembrance of perishability.
Yet these too will vanish.
I murmur to the moss
that it is foolish to leave traces.

I reach for the universe.
I have a presentiment about my whole life.
I try to return endlessly.
For a second, the shadows of new leaves waver."

A section chief:
“A green shadow of a tree comes riding on a beautiful
bicycle.
A blue, calm ordinariness
shines today, as ever, over the children.
Satisfaction supports me like a sofa.”

A sick man:
“A day of a tree, a day of mud, a day of a hand, a day
of an odor,
a day of shadows, of the sky, of a road, of the sky....”

A boy:
“What a bore to the soul eternity is,
and how frightening!
One phase of a planet and its puny happiness.
A brain and its beautiful arbitrary shape,
and
a heart and its poignant largeness.
For the richness of all these I have no words.
People have died, doubting yet contented.
Wisdom lies in each instant.

Early summer returns again
and I meet it for the first time.”

Afterword

I am greatly indebted to Tatsuji Miyoshi, so much so that I am helpless to express my gratitude. The poems in this book were selected from those written between the winter of 1949 and the spring of 1951. They appear here almost completely in the order of their composing.

April 1952

Shuntaro Tanikawa

Two Billion Light-Years of Solitude

Shuntaro Tanikawa
Translated by William I. Elliott and Kazuo Kawamura
Book Design/Ariyama design store
First Edition 2008

ISBN 978-4-08-746268-5

集英社文庫

二十億光年《にじゅうおくこうねん》の孤独《こどく》
Two Billion Light-Years of Solitude

2008年2月25日　第1刷
2024年12月15日　第17刷

定価はカバーに表示してあります。

著　者　谷川俊太郎《たにかわしゅんたろう》
訳　者　W・I・エリオット
　　　　川村和夫《かわむらかずお》
発行者　樋口尚也
発行所　株式会社 集英社
東京都千代田区一ツ橋2-5-10　〒101-8050
電話　【編集部】03-3230-6095
　　　【読者係】03-3230-6080
　　　【販売部】03-3230-6393（書店専用）
印　刷　株式会社広済堂ネクスト
製　本　株式会社広済堂ネクスト

フォーマットデザイン　アリヤマデザインストア　　マークデザイン　居山浩二

ISBN978-4-08-746268-5 C0192

Two Billion Light-Years of Solitude

Shuntaro Tanikawa

Translated by
William I. Elliott and Kazuo Kawamura

Shueisha Bunko